改訂版

# 必ず取れる
# 経営管理ビザ！
# 外国人会社
# 設立ガイド

小島健太郎 著

セルバ出版

## はじめに

こんにちは、行政書士の小島健太郎です。

本書では、外国人の会社設立と、経営管理ビザについて解説したいと思います。

筆者は、外国人の日本でのビジネスを法律の面からサポートしているのですが、筆者の事務所のお客様で特に多いのは、中国人の経営者と、韓国人の経営者の方です。日本でビジネスをスタートさせて成功したいんですね。

ところで、外国人が日本で会社設立をしようと考えている場合、外国人特有の会社設立の方法と経営管理ビザのことを調べておく必要があります。

筆者の事務所で多く受ける相談のパターンは、次の4つです。

・母国で会社を経営している外国人が日本進出するには
・日本でサラリーマンをしている外国人が独立起業をするには
・留学生が卒業後に起業するには
・海外に住んでいる外国人がいきなり日本で起業するには

まず、外国人が日本で会社を設立するときに考えてほしいのは、社長が「経営管理ビザ」を取る必要があるのか、取らなくてもいいのかということです

経営管理ビザが必要ないという外国人は、資本金を1円にしてもいいし、どんな会社にしてもい

いです。日本人が会社をつくるときと同じようにしても大丈夫です。

しかし、経営管理ビザを取りたい外国人社長は、会社設立前に考えなければなりません。まず、経営管理ビザが取れる会社をつくることが必要です。もちろん、資本金は1円の会社にしてはダメです。

さらに、日本に住んでいる外国人が会社設立する場合と、海外に住んでいる外国人が会社設立する場合とでは、手続の方法も少し違ってきます。

また、経営管理ビザの申請は、会社設立の前にはできません。必ず会社設立が完了してからビザ申請となります。

そして、会社設立が終わったら経営管理ビザの申請となるのですが、次のようにビザの申請もすぐにはできません。

**・会社設立（＋事務所契約）→設立後の手続（税務署・営業許可）→経営管理ビザ申請**

会社設立が終わった後もいろいろな手続が必要で、事務所の内装や事業の準備が終わってからとなります。

経営管理ビザは、簡単にいうと、会社が「合法、適法なもの」＋「安定性、継続性」が問われ、通常の就労ビザより厳しい条件があります。経営管理ビザの手続や書類作成は、他の就労ビザより大変ですし、少しの不備で不許可になることさえあります。

絶対に失敗できない以上、経営管理ビザを取る必要がある場合は、可能であれば最初から経営管理ビザに精通した行政書士にサポートの依頼をおすすめします。実際、出入国在留管理局への経営管理ビザ申請に対する行政書士の関与率は、90％を超えているといわれています。
本書では、外国人の会社設立の方法と、経営管理ビザの取り方、書類の作成方法までわかりやすく解説しましたので、ぜひ本書で経営管理ビザの許可を勝ち取ってください！

平成29年12月

小島　健太郎

**改訂版の発刊に当たって**

増加の一途をたどる外国人材および日本における深刻な人手不足に対応するために、２０１８年12月８日、国会で改正入管法（「出入国管理及び難民認定法及び法務省設置法の一部を改正する法律」）が成立。２０１９年４月１日施行をもって、旧来の「入国管理局」が「出入国在留管理庁」へと組織・名称が変わりました。それに伴い申請書様式等も変更が行われています。申請書の宛名も従来の○○入国管理局長殿から法務大臣殿へと変更され、記載する内容も特に所属機関作成用の内容が変更されました。それらの記載方法等を盛り込んで版を改めました。

令和元年11月

小島　健太郎

※「在留資格」と「ビザ」は、厳密には違うものですが、本書ではわかりやすくするため、在留資格とビザを混同して表現しています。専門家の方にとっては突っ込みどころかもしれませんが、読みやすくするためですので、なにとぞご了承ください。

改訂版　必ず取れる経営管理ビザ！　外国人会社設立ガイド　目次

## 第2章　経営管理ビザ

## 第5章 許認可申請（外国人向け）



## 第6章 今後のために

# 第1章

# 外国人・外国企業が日本へ進出する際のスキーム

# 1　外国人が会社設立する前に検討すべき事項

## 外国人１人で会社設立できる？

会社法上、外国人1人で株式会社を設立することもできますし、合同会社を1人で設立することもできます。

特に、就労ビザ・家族滞在・留学で既に日本に住んでいる外国人は、日本に住所もありますし、日本の銀行口座もありますから、会社設立手続は、スムーズに進めることができます。

また、近年、法改正があり、法的には、海外居住の外国人代表取締役1人だけでも日本で会社設立手続が可能になりました。しかし、海外居住の外国人が、日本で会社を1人で設立できるかというと、現実的には難しいのが現状です。

海外居住の外国人が日本で会社を設立するときの問題点としては、①日本の銀行口座がないこと、②不動産契約上の問題があげられます。

## 日本の銀行口座がない（会社設立のためには、手続上個人口座がないとできない）という問題

まず、「日本の銀行口座がない」という問題ですが、もし過去に日本に留学などしていて個人口

座を持っているなら、それをそのまま使用できますので問題ありません。

これに対して、個人口座を持っていない場合は、出資金を振り込む先がないので、実際上は会社設立が不可能になります。

観光で日本に入国しても、銀行は正規の在留資格を持っていない外国人に対しては、マネーロンダリング防止の観点から個人口座が開けないようになっています。

そこで、多くの場合、出資先の口座を用意するために、協力者の存在が必要となってきます。協力者は、一時的に役員となって、出資金のいわば「受け皿」としての役割を果たしますが、本人が正規の経営管理ビザを取得し、来日した際には、役員を降りることになります。


**事務所（店舗）の不動産物件の契約ができないという問題**

日本で会社設立するには、会社住所を定めなければなりません。また、経営管理ビザを取得するためには、自宅と会社事務所の住所を別にしなければなりません。

したがって、外国人が会社設立する際には、必ず事務所（店舗）を確保しなければならないのですが、日本で不動産の賃貸借契約を行うには、通常、日本の印鑑証明書や身分証明書が必要です。

物件によっては、保証会社を使う場合もありますが、連帯保証人を求められる物件もあります。

日本の印鑑証明書は、日本に住所がないと取得できません。海外居住の外国人は、自分の身分証明書としてはパスポートくらいしかありませんから、不動産賃貸の慣習上、なかなか入居審査が通

図表１　日本進出の際の法人形態

| | 駐在員事務所 | 日本支店 | 株式会社 | 合同会社 |
|---|---|---|---|---|
| ビジネス活動 | できない | ○ | ○ | ○ |
| 登記 | なし | ○ | ○ | ○ |
| 事務所設置 | ○ | ○ | ○ | ○ |
| 資本金 | なし | 本国のもの | ○ | ○ |
| ビザ取得 | × | ○ | ○ | ○ |
| 会計処理 | ビジネス活動ができない | 本国会社との合算処理 | 日本法人単独処理 | 日本法人単独処理 |
| 訴訟 | ビジネス活動ができない | 本国へ及ぶ | 日本法人のみに及ぶ | 日本法人のみに及ぶ |
| 設立にかかる期間 | なし | 約１か月 | 約１か月 | 約１か月 |

りません。

もっとも、通常の物件はなかなか契約が難しいですが、レンタルオフィスですと、パスポートだけで契約できるオフィスも中にはあります。

これらを踏まえて、次に外国人・外国企業が日本へ進出する際のスキームについて解説したいと思います。

**法人形態の選択肢は**

外国企業が対日投資として日本進出を行う際の法人形態の選択肢としては、次の３つが考えられます（図表１参照）。

①　駐在員事務所を設置する
②　日本支店を設立する
③　日本法人を設立する

日本法人を設立するに当たっては、「株式会社」の形態か、「合同会社」の形態かを選択することが多い

図表２　株式会社と合同会社の違い

| | 株式会社 | 合同会社 |
|---|---|---|
| 会社代表者と出資者との関係 | 会社代表者は出資者でなくともよい | 出資者が会社を代表する |
| 出資権の譲渡 | 自由に株式を譲渡できる | 他の社員の要承諾 |
| 出資者 | 個人、法人可 | 個人のみ |
| 設立実費額 | 20 万円 | ６万円 |
| 知名度 | 高い | 低い |

です。

**日本法人を設立する（株式会社、合同会社）**

日本法人を設立する場合は、「株式会社」か「合同会社」かの形態を選ぶことになりますが、株式会社と合同会社の違いをまとめると図表2のようになります（合名会社、合資会社という形態もありますが、ほとんど使われないので説明を省略します）。

## 2　外国人の株式会社設立の流れ

日本に住んでいる外国人が会社設立する場合と、海外に住んでいる外国人が会社設立する場合とでは、多少手続の方法が違います。日本に住んでいる外国人の会社設立のほうが手続はわかりやすく、海外に住んでいる外国人が会社設立するほうが少し面倒です。

**日本に住んでいる外国人が会社設立する場合**

まず、日本に住んでいる外国人の会社設立について説明します。

株式会社設立に必要な書類は、印鑑証明書（本国も含め）だけです。

会社設立の全体の流れは、

① 定款をつくる

② 資本金を振り込む

③ 登記をする

の3ステップです。

まず、定款ですが、これは、会社の名前、住所、資本金、取締役、事業目的、決算期などを決めた書類です。まずはこれらを決めます。決定した事項を定款に落とし込み、公証役場で認証してもらいます。

会社の名前とか事業目的とかは、考えて決めればいいのですが、ここで問題になるのは、会社の住所です。ということは、会社の事務所を借りなければなりません。

それには、次の2つの方法があります。

イ 会社事務所を借りて、事務所の住所で登記する。

ロ 会社事務所はまだ借りないで、自分の家や友達の家を会社住所として登記する。

イの方法がスムーズですが、ロの方法でも大丈夫です。自分の家や友達の家の住所でも会社の住所にできます。とりあえず先に会社をつくっておきたいとか、会社の事務所物件がなかなか見つからないが先に会社をつくりたい場合はそれでもいいです。

ただし、会社設立時はそれでもいいのですが、経営管理ビザの申請をするときに、自分の家が会社住所ですと許可が下りないので、経営管理ビザ申請の前に住所を変更する必要があります。ビザ申請前に、きちんと会社事務所を借りて、会社住所を変更登記しなければならないということです。

この方法のデメリットは、住所変更に税金がかかることです。東京都内の場合を例に取れば、同じ区内の移動だと３万円、別の区への移動は６万円の変更登記料がかかります。

**定款をつくる手順**

定款をつくるためには、まず次の事項を決めます。

①　会社の名前

株式会社にする場合は、「株式会社」という文字を必ずつけなくてはなりません。これは会社名の前か後につけます。

例えば、「株式会社○○」とか「○○株式会社」とか、前か後ですが自由に決められます。

②　会社住所

会社設立手続前に会社住所を決めておかなければなりません。

③　資本金額

起業して経営管理ビザを取るためには、基本的にはビザを取りたい人が、１人で５００万円以上出資する必要があります。６００万円でも７００万円でもいいのです。

経営陣が2人いる場合、1人が300万円、もう1人が200万円で合計500万円では、経営管理ビザは取れません。あくまでも、1人ひとりが500万円以上の出資をしていることが経営管理ビザ取得の要件なのです。

資本金についての考え方が間違っている外国人の方がよくいるのですが、この資本金は、会社設立後は使っていいのです。つまり、資本金500万円は使っていいです。

この500万円は、日本政府に預けるお金ではありません。500万円は、事業をするためのお金ですので、500万円以下に減らしてはダメだと考えている人がいますが、違います。

また、資本金が1,000万円未満の会社は、2年間、原則として消費税が免除になりますので、999万円以下の資本金で会社をつくる外国人が多いです。しかし、1,000万円の資本金で会社をつくりますと消費税が2年間免除になりません。外国人の方は、特に「以下」と「未満」の違いに注意が必要です。

④　代表取締役と出資者の決定

代表取締役とは、簡単にいうと社長のことです。小さい会社の場合は、代表取締役と出資者（お金を出す人）が同じ人になるケースが多いです。しかし、同じにしないといけないわけではなく、代表取締役と出資者は別の人でも大丈夫です。

⑤　取締役の任期

2年～10年を選べます。

⑥　事業年度

これは、決算をいつやるかです。４月１日～３月末とか、１月１日～12月末とか、この事業年度も自由に決めていいです。

⑦　事業目的

この会社ではどんなビジネスをするのかについて事業目的を設定します。今はやらないけれども、将来やるつもりのビジネスについても記入しておくことができます。

事業目的の記載で重要なのは、営業許可を取らなければならないかどうかです。古物商とか、旅行業とか、人材派遣業、不動産業をやる場合は、営業許可を取るためには事前に定款の事業目的に入れておかなければなりません。

これらをすべて決めて定款をつくったら、その定款を公証役場に持って行って、公証人に認証してもらいます。

公証役場では、５万円＋謄本代実費が必要となります。公証は、１日で終わります。

**資本金の振込み**

定款が認証できたら、次は資本金を振り込みます。原則としては、発起人の「個人口座」に振り込みます。

個人の口座です。会社は、まだできていませんので、会社の銀行口座はもちろんないからです。

会社の銀行口座は会社設立後につくれます。

振込みが済んだら、その振込みの事実が記載されている通帳をコピーして、コピーと払込証明書をつけます。これで、資本金を払い込んだという証明書になります。

なお、資本金の振込みは、定款認証の〝後〟にします。定款を認証する前に振り込んでも、無効になる場合があるので注意してください。

**登記申請**

そして、最後は登記申請です。登記申請書をつくって、定款と資本金の証明書と一緒に法務局に申請します。法務局に申請してから1週間前後で登記完了です。

ところで、登記完了まで1週間前後かかりますが、会社設立日は申請日になります。

なお、会社設立は、準備をスタートしてから全部完了するまで約2週間から3週間かかると考えてください。

**役員全員が日本居住の場合**

役員全員が日本に居住している場合の必要書類等は、次のとおりです。

・日本の印鑑証明書（市区町村発行）を2通

・個人の実印

・これからつくる会社の実印

代表取締役を含め役員全員が日本居住の場合は、国際郵便で書類のやり取りをする必要がないので、比較的短期間で会社設立手続を進めることができます。およそ2週間程度で株式会社設立が可能です。

**役員の中に海外居住者がいる場合**

役員の中に海外居住者がいる場合の必要書類等は、次のようになります。

・海外居住の中国人の場合は本国発行の【印鑑公証書】＋翻訳文
・海外居住の台湾人の場合は台湾の【印鑑証明書】＋翻訳文
・海外居住の韓国人の場合は韓国の【印鑑証明書】＋翻訳文
・海外居住の前記３国以外の国籍の外国人は本国発行の【サイン証明書】＋翻訳文
・日本居住の役員がいる場合は日本人・外国人を問わず日本の【印鑑証明書】
・これからつくる会社の実印

代表取締役を含め役員の中に海外居住者がいる場合は、国際郵便で書類のやり取りをする必要があります。

国際郵便は、配送に数日かかる場合が多いため、およそ1か月程度の期間が株式会社設立完了まで必要になります。

## 日本で外国人が株式会社を設立する場合のステップ

ここまで紹介したことも含めて、日本で外国人が株式会社を設立する場合、一般的には次のようなステップで手続が進みます。

**・ステップ1…株式会社の基本事項を決める**

会社をつくるに当たっては、会社名（商号）、会社住所、事業目的、発起人（株主）、発起人の出資額、役員構成などを決めなければなりません。

最初に会社住所を決めなければなりませんので、この時点で事務所を借りるか、一時的に自宅に会社住所を置くかを決める必要があります。

**・ステップ2…「定款」を作成する**

ステップ1で決定した基本事項を盛り込んだ4～5ページ程度の定款をワード等で作成します。定款は、社名・所在地・事業目的・資本金額・役員構成・決算期など、会社の重要事項を定める書類です。定款ができあがったら公証役場で認証します。

**・ステップ3…公証役場で定款を認証する**

ステップ2で作成した定款を公証役場で認証します。定款は、公証役場に持って行き、公証人の認証を受ける必要があります。

行政書士などの士業に依頼すると、電子定款にも対応しており、ワードでつくった定款であればＰＤＦにし、電子署名を施し、公証役場へ送付できるようにしてくれます。

こうして電子定款を使えば、本来４万円の印紙税が無料になります。

**・ステップ４…資本金を振り込む**

会社の資本金を振り込みます。振込先は、発起人の個人口座で、必ず、公証役場での定款認証が終わった〝後〟です。

海外送金で振込みをする場合は、日付にご注意ください。

なお、発起人の個人口座は、「日本の銀行の口座」である必要があります。「海外銀行の日本支店の口座」でも大丈夫です。したがって、日本に銀行口座を持っていない方は、単独で会社設立することは現実的にはできません。

また、短期滞在（ノービザ）で来日しても、銀行口座は開設できません。そこで、会社設立に当たっては、協力者が必要になります。

**・ステップ５…法務局へ法人設立登記をする（会社設立）**

設立登記に必要な登記申請書類一式を作成し、法務局へ法人設立登記と会社代表印の登録を行います。登記申請日が会社設立日となります。

特に補正がない場合は、登記申請日から約1週間で「登記事項証明書（登記簿謄本）」が取得できるようになります。

株式会社の登記申請は、法務局へ15万円資本金額の１０００分の7（15万円に満たないときは、申請件数1件につき15万円）の登録免許税の実費がかかります。

・ステップ6…税務署へ各種届出をする

「法人設立届」「給与支払事務所等の開設届」「源泉所得税の納期の特例の承認に関する申請」など、各種税務署に届け出るべき申請をします。

なお、税務署への届出の控えは、経営管理ビザ申請時に添付するので必須です。

・ステップ7…許認可を取得する（必要な場合のみ）

古物商許可、免税店、人材紹介業、旅行業、不動産業、建設業など、許認可が必要なビジネスをする場合は、経営管理ビザの申請「前」に許認可取得が必要です。

・ステップ8…経営管理ビザの申請（出入国在留管理局に対して行う）

在留資格申請書、事業計画書、その他の各種証明書を準備した後に、出入国在留管理局へ経営管理ビザの申請を行います。

経営管理ビザ申請は、すべての準備ができた後に行うものですので、絶対に失敗はできません。

・ステップ9…年金事務所・ハローワーク・労働基準監督署へ各種届出

法令に基づき、各種届出が必要な手続を行います。

※ステップ9は、経営管理ビザ取得の観点からは直接的な関係はありません。

**社名決定においての注意事項**

会社名を決めるときは、法律上ルールがあります。せっかく決めた会社名でも法律に違反していれば変更しなければなりません。でもルールはそんなに難しくありません。次の4つの注意点を確認してください。

●1つ目のルール…会社名の中に「株式会社」、または「合同会社」という文字を入れる

株式会社の場合は、「株式会社」を会社名（商号）の中に入れます。合同会社の場合は、「合同会社」を会社名（商号）の中に入れます。

「株式会社」「合同会社」は、社名の前でも後でもかまいません。例えば、株式会社トヨタでもいいし、トヨタ株式会社でもよいのです。前か後かは自由に決めることができます。

●2つ目のルール…使える文字の制限に注意

会社名に使える文字には制限があります。制限があるといっても、ほとんどの文字は使えますから、さほど気にしなくても問題ないでしょう。使える文字は、次のとおりです。

中国語の簡体字や繁体字、ハングル文字などは使えません。

・漢字
・ひらがな
・カタカナ
・ローマ字（大文字・小文字）
・数字（0123456789）
・一定の符号↓「&」（アンパサンド）、「,」（アポストロフィー）、「,」（コンマ）、「-」（ハイフ

ン)、「.」(ピリオド)、「・」(中点)。ただし、字句を区切る際の符号として使用する場合に限られ、原則として商号の先頭・末尾に用いることはできません(省略を意味する「.」(ピリオド)については、商号の末尾に用いることができます)

**事業目的の決め方**

会社設立する際には、定款に事業目的を定める必要があります。定款に定めた事業目的は、会社の登記事項証明書にも記載されることになります。

事業目的は、「具体的であること」、「明確であること」、「適法であること」など、一定のルールがあります。

基本的には、会社設立後にすぐ行おうとする事業目的を記載すればよいのですが、すぐには行わないけれども将来に行う予定の事業があれば、前もって入れておいてもかまいません。後で事業目的を追加したり、削除したりするときは、法務局への登録免許税が3万円かかることになります。

許認可ビジネスを行おうとする場合は、事業目的にしっかり記載しておかないと、原則としてその許可が取れません。

例えば、中古自動車輸出入ビジネスをしたい場合は、「古物営業法に基づく古物商」「中古自動車の買取、販売及び輸出入」などと事業目的に定める必要があります。

**株式会社を設立する場合の「株式譲渡制限」について**

株式譲渡制限とは、会社の「株式」を譲渡する際に会社の承認を必要とするというものです。会社の株式を自由に他人に譲渡できると、株主が頻繁に変わってしまい、知らない他人が株主になってしまいます。

それを防止するために株式譲渡制限の規定を定め、株式を譲渡する際には会社の承認を得なければいけないというルールにすることができます。

上場企業など大きい会社は別ですが、小さい外国人オーナーの株式会社であれば、株式譲渡制限を事前に定めておくことをおすすめします。

**株式会社設立にかかる実費**

株式会社の設立費用は、公証役場で定款を認証してもらう際に定款認証手数料５万円＋定款謄本代１，９４０円（2通分。枚数により変わります）と、登記申請時に法務局へ納める登録免許税として、資本金額の１０００分の７（15万円に満たないときは、申請件数１件につき15万円）がかかります。

さらに、定款を紙で作成した場合は、定款印紙代として収入印紙4万円が実費でかかります。

しかし、当事務所にご依頼いただければ、別途株式会社設立サポート費用はかかりますが、電子定款で作成しますので収入印紙４万円が免除されます。

**外国人が来日せずに日本で株式会社をつくれるか**

日本で株式会社を設立するためには、定款を公証役場で認証し、設立登記申請書を管轄の法務局へ提出することが必要です。

したがって、日本に一時的に役員に入っていただける協力者がいれば別ですが、外国人1人会社ですと、来日せずに設立手続を行うのは現実的に不可能です。

日本に協力者がいれば可能です（ただし、その方には相当動き回ってもらう必要があります）。

また、当事務所へご依頼いただければ、基本的にすべての株式会社設立手続を代行いたしますので、来日が不要になるケースも多いです。

## 3　外国人の合同会社設立の流れ

**必要書類**

外国人の合同会社設立する場合、基本的に次のような書類を用意する必要があります。

**●役員全員が日本居住の場合の必要書類**

・日本の印鑑証明書（市区町村発行）を2通

・個人の実印

・これからつくる会社の実印

代表社員を含め役員全員が日本居住の場合は、国際郵便で書類のやり取りをする必要がないので、比較的短時間で会社設立手続を進めることができます。およそ2週間程度で株式会社設立が可能です。

**●役員の中に海外居住者がいる場合の必要書類**

・海外居住の中国人の場合は本国発行の【印鑑公証書】＋翻訳文
・海外居住の台湾人の場合は台湾の【印鑑証明書】＋翻訳文
・海外居住の韓国人の場合は韓国の【印鑑証明書】＋翻訳文
・海外居住のその他の国籍の外国人は本国発行の【サイン証明書】＋翻訳文
・日本居住の役員がいる場合は日本人・外国人を問わず日本の【印鑑証明書】
・これからつくる会社の実印

代表社員を含め役員の中に海外居住の方がいる場合は、国際郵便で書類のやり取りをする必要があります。国際郵便は配送に数日かかる場合が多いため、およそ1か月程度の期間が株式会社設立完了まで必要になります。

**外国人が日本で合同会社を設立する場合の手続の流れ**

外国人が日本で合同会社を設立する場合、次のような流れで手続が進みます。基本的には、株式会社の場合と同様です。

**・ステップ1…合同会社の基本事項を決める**

会社をつくるに当たっては、会社名、会社の住所、事業目的などを決めなければなりません。

なお、会社住所を決めなければなりませんので、この時点で事務所を借りるか、一時的に自宅に会社住所を置くかを決める必要があります。

**・ステップ2…合同会社の基本原則となる定款を作成する**

ステップ1で決定した基本事項を盛り込んだ4～5ページ程度の定款をワード等で作成します。

定款は、社名・所在地・事業目的・資本金額・役員構成・決算期など会社の重要事項を定める書類です。

定款ができあがったら、代表社員の実印を押すか、行政書士の電子署名をします。

なお、合同会社の場合は、株式会社の場合に必要な公証役場での「定款の認証」の必要はありません。

**・ステップ3…資本金を振り込む**

会社の資本金を振り込みます。

振込先は、発起人の個人口座です。海外送金で振込みをする場合は、日付にご注意ください。

発起人の個人口座は、「日本の銀行の口座」である必要があります。「海外銀行の日本支店の口座」でも大丈夫です。したがって、日本に銀行口座を持っていない方は、単独で会社設立することは現実的にはできません。

短期滞在（ノービザ）で来日しても銀行口座は開設できません。そこで、会社設立に当たっては、協力者が必要になります。

**・ステップ4…法務局へ法人設立登記をする**（会社設立）

設立登記に必要な登記申請書類一式を作成し、法務局へ法人設立登記と会社代表印の登録を行います。登記申請日が会社設立日となります。

特に補正がない場合は、登記申請日から約1週間で「登記事項証明書（登記簿謄本）」が取得できるようになります。

合同会社の登記申請は、資本金額の1000分の7（6万円に満たないときは、申請件数1件につき6万円）の登録免許税の実費がかかります。

**・ステップ5…税務署へ各種届出をする**

「法人設立届」「給与支払事務所等の開設届」「源泉所得税の納期の特例の承認に関する申請」など、税務署に届け出るべき各種申請をします。

なお、税務署への届出の控えは、経営管理ビザ申請時に添付するので必須です。

**・ステップ6…許認可を取得する**（必要な場合のみ）

古物商許可、免税店、人材紹介業、旅行業、不動産業、建設業など許認可が必要なビジネスをする場合は、経営管理ビザの申請〝前〟に許認可取得が必要です。

**・ステップ7…経営管理ビザの申請（出入国在留管理局に対して行う）**

在留資格申請書、事業計画書、その他の各種証明書を準備した後に、出入国在留管理局へ経営管理ビザの申請を行います。

経営管理ビザ申請は、すべての準備ができた後に行うものですので、絶対に失敗はできません。

**・ステップ8…年金事務所・ハローワーク・労働基準監督署へ各種届出**

法令に基づき、各種届出が必要な手続を行います。

**※ステップ9は、経営管理ビザ取得の観点からは直接的な関係はありません。**

**株式会社設立の場合との違い**

合同会社の設立は、基本的には株式会社の場合と同様ですが、合同会社の設立の場合は、公証役場での定款の認証は必要ありません。

また、合同会社の設立費用は、登記申請時に法務局へ登録免許税として、最低の場合は6万円で済む点も違います。

## 4 日本支店の設置

日本支店は、本国会社名義でビジネス活動をする場合に選ぶ形態です。日本支店は、法的には本国会社の一部となりますので、会計処理は本国会社と合算処理され、訴訟も本国会社に及びます。

日本支店は、ビジネス活動も可能で、収益を上げることが可能です。

日本支店として法人格はありませんが、日本支店としての登記は必要です。

また、日本支店としては、「資本金」がありませんので、新たな出資金は必要ありません。本国会社の資本金がそのまま資本金となります。

在留資格についてですが、日本支店長は「経営・管理」か「企業内転勤」、それ以外の社員は「技術・人文知識・国際業務」か「企業内転勤」となります。

**日本支店の代表者は日本に住所がある必要あり**

日本支店の設置は、非居住者のみではできません。日本支店の代表者は、日本に住所がある必要があります。

つまり、日本支店の代表者に就任する予定の人が外国人の場合は、すでに何かしらの在留資格で正規に日本に滞在している外国人である必要があります。

株式会社の代表者は、海外居住者でもよいというように法改正がありましたが、日本支店の代表者に関しては変更なく、現状どおり日本に住所がある人である必要があります。

また、日本支店の代表者は、外国会社（本社）の役員である必要はありません。さらに、外国会社（本社）の従業員である必要もありませんので、新しく採用した人物に日本支店の代表者になってもらうことも可能です。
もちろん、外国会社（本社）の役員・従業員を日本支店の代表者に就任させることも可能です。

**日本支店設置のための必要書類**

日本支店を設置使用とする場合に、あらかじめ用意しておくべき必要書類には、次のようなものがあります。ここでは、代表的な中国、韓国の例を上げていますが、他の国の場合もほぼ同様です。

**●中国会社の日本支店設置の場合の必要書類例**

・親会社（本社）の印鑑公証書＋日本語翻訳
・親会社（本社）の定款の公証書＋日本語翻訳
・親会社（本社）の営業許可証の公証書＋日本語翻訳
・日本支店の代表者の印鑑証明書
・その他日本支店の役員に入る人がいれば印鑑証明書・印鑑公証書

**●韓国会社の日本支店設置の場合の必要書類例**

・親会社（本社）の印鑑証明書＋日本語翻訳
・親会社（本社）の定款の公証書＋日本語翻訳
・親会社（本社）の登記簿謄本＋日本語翻訳
・親会社（本社）の理事会の会議録

・日本支店の代表者の印鑑証明書
・その他日本支店の役員に入る人がいれば印鑑証明書

**日本支店を設立する場合の手続の流れ**

日本支店を設置する場合、次のような流れで手続が進みます。国によっては、この他にも手続が必要な場合があります。

**・ステップ１…定款等の取得**

母国の法人の印鑑証明書、登記事項証明や営業許可証、定款等を取得します。すべて日本語翻訳します。

**・ステップ２…宣誓供述書の作成**

母国もしくは本国の外国大使館で宣誓供述書を作成します。

**・ステップ３…登記申請書の作成**

設立登記申請に必要な添付書類と、登記申請書を作成します。会社の状況に合わせて書類をつくります。登記申請日が支店の設立日になります。

**・ステップ４…各種の届出**

日本支店の設立手続完了後には、各種の届出をします。税務署、都道府県税事務所、社会保険事務所、労働基準監督署、公共職業安定所などに届出書類を提出します。

・ステップ5…ビザ申請

支店設置後は、ビザ申請を行います。必要な書類を作成して、出入国在留管理局へ提出します。

・ステップ6…支店を経営

日本支店設置・経営管理ビザ取得後は、日本支店を経営していくことになります。

日本支店設置の費用

日本支店の設置に関する法定実費は、登記申請時に法務局へ登録免許税として9万円がかかります。

その他に必要な実費は、宣誓供述書を本国公証役場や在日外国大使館で行う場合の実費がかかりますが、こちらは国ごとに実費額が変わります。

## 5 駐在員事務所の設置

駐在員事務所は、原則としてビジネス活動ができません。ビジネス活動ができないので、駐在員事務所を設置しても、日本では収益を上げることはできません。

ビジネス活動ができないということは、課税されるような取引ができないことになるので、税務署への届出も基本的に不要です。

また、駐在員事務所の設置は、法務局への登記申請は必要ありませんし、できません。駐在員事務所の業務範囲としては、市場調査、マーケティング、広告、物品購入、連絡業務に限られます。

駐在員事務所の銀行口座をつくりたくても、駐在員の個人口座を使うしかありません。個人口座として銀行口座をつくる場合には、「屋号」を入れることは可能です。例えば、銀行名義が「○○駐在員事務所　代表○○○○」という口座は、銀行によってはつくることが可能です。

ところで、駐在員事務所で在留資格（ビザ）を取得することは実務上は難しいです。駐在員が「短期滞在」で来日し、市場調査、連絡業務などを行うことが一般的です。

在留資格（ビザ）を取りたい場合には、最初から株式会社・合同会社・日本支店設置をお考えください。

## 6　会社設立時の資本金の払込口座

会社設立手続上、株式会社でも合同会社でも、その過程において「資本金」を払い込むための銀行口座が必要です。

外国人が日本で会社設立しようとするときに、よく問題となるのが日本の銀行の個人口座開設の問題です。

すでに日本在住の外国人であれば、日本に銀行口座は持っているのが普通ですが、海外に居住している外国人ですと、日本に銀行口座は持っていないのが普通です。

そして、日本の銀行は、短期滞在で入国してきた外国人に対しては、どの金融機関も口座開設を認めていません。会社を設立する前に発起人の個人口座に資本金を振り込む必要があり、口座がないと振り込めません。

海外居住の外国人が日本に口座を持っていない場合は、基本的には協力者を立てて発起人もしくは設立時取締役に一時的に入ってもらう必要があります。

もっとも、最近の法改正により、発起人もしくは設立時取締役の全員が日本国内に住所がない場合には、特例として、発起人もしくは設立時取締役でない者の口座を使えるようになりました。ただし、この場合でも、誰か口座を貸してくれる方を探す必要はあります。

また、口座だけ協力してもらい、設立時取締役に入らない場合には、全員が海外居住となるため、不動産契約や会社設立後の法人口座開設時に手続がいっこうに進まないというデメリットもあります。

**資本金の払込取扱機関**

会社設立時に、資本金の払込みをできる銀行は、次の3つです。

①　日本の銀行の日本国内の本店、支店

② 日本の銀行の海外支店
③ 外国の銀行の日本国内の支店（認可を受けて設置された銀行）

ここでの注意点は、前掲②の「日本の銀行の海外支店」は法律上は会社設立手続に使える銀行なのですが、現実には新規で口座開設するのは非常に難しいことです。ほとんど不可能というべきです。

例えば、みずほ銀行の上海支店を例にとると、みずほ銀行上海支店は、基本的に上海に進出している日本企業向けに融資などの金融サービスを行っているだけであり、中国在住の中国人個人に対してはサービスを行っておりません。

したがって、口座開設がそもそもできません。どの国もそうです。そのため、現実的には①か③を選択して会社設立手続を進めていくことになります。

①か③の銀行口座をお持ちでない場合は、①か③の銀行口座をお持ちの方に、協力者として、一時的に発起人か設立時代表取締役に入っていただく必要があります。

**資本金を振り込むタイミングは**

資本金は、「定款認証日以後」に振り込む必要があります。定款認証前ですと、振り込まれたお金が個人のものなのか、資本金としてのものなのか判断できないからです。

基本的には、定款認証後に資本金を振り込みますので、海外送金で振り込む場合はスケジュールにご注意ください。
実際は、定款認証日後でない場合も認められるケースもありますが、説明が複雑になりますので割愛させていただきます。「定款認証日以後」と覚えておけば間違いありません。

**資本金は経営管理ビザ申請前に使ってもいい？**

会社設立が完了すれば、個人口座に振り込んだ資本金は事業用としてビジネス活動に使ってもかまいません。例えば、５００万円の資本金でつくった会社の場合、銀行残高が５００万円を下回ってはいけないというルールはないのです。
経営管理ビザ申請前に、資本金を使って会社の設備や広告費などに使ってもかまいません。

**口座にある残高５００万円はそのまま証明として使える？**

すでに５００万円の残高があり、新しく送金する必要がない場合でも、「いったん引き出して、再度振り込む必要があります」。
資本金は、定款認証後に振り込むのが原則です。定款認証後かどうかは入金された「日付」で確認します。
最初からお金が入っていたとしても、資本金としてのお金とは判断されません。発起人の個人口座（通帳）に、〝定款認証後の日付〟で「振込み」として資本金相当額が入ってこなければなりません。

銀行の窓口へ行き、現金を引き出し、その場で入金するという方法でも可です。

### 海外送金で資本金を振り込むときの注意点

本国の家族などから資本金となるお金を海外送金してもらう場合に、海外送金は振込手数料や為替手数料が数千円かかりますから、資本金額ぴったりではなく少し多めに送金する必要があります。

例えば、５００万円の資本金で会社をつくる場合に、５００万円ぴったりを送金するのではなく、５０２万円分ぐらいを送るほうが無難です。定款に定めた５００万円という資本金よりも多めのお金が着金する分には問題ありません。

もし、４９９万円の着金になると、全額資本金を払い込んだものとは認められません。

また、海外送金は、数日かかる場合もあるので、スケジュールも前もって立てておくことをおすすめします。

## 7　不動産・事務所契約の注意点

### 事務所や店舗の契約時に注意すべき点

経営管理ビザ取得のためには、事務所や店舗が事前に確保されていなければなりません。その際に契約上注意すべき点は、「法人名義で契約すること」と「使用目的を事業用」にすることです。

個人名で契約したり、使用目的が居宅用ですと、経営管理ビザは取得できません。なぜなら、個人名で契約したり、使用目的が居宅用ですと、事業用としてオフィスや店舗が確保されているとはいえないからです。

## 自宅を会社住所にできる？

事務所を借りる資金がない、よい事務所が見つからないなどの理由で、「自宅住所を会社住所として登記しても大丈夫ですか」という質問を受けることがあります。

結論的にいえば〝可〟ですが、自宅を本店所在地として登記した場合には、原則として、ビザの申請前に新たに取得した本店所在地を事務所（店舗）の住所に変更して、それから経営管理ビザ申請しなければなりません。

本店移転の登記費用は、同一法務局管轄であれば3万円、別の地域の法務局管轄なら6万円の登録免許税がかかります。

このように経営管理ビザの取得のためには、住所も重要になりますので、修正や変更はできるだけないように計画を立てておきましょう。

ただし、会社設立日から経営管理ビザの申請までかなり時間がある場合は、事務所の家賃を節約するために、いったん自宅を会社住所にしてもよいと思います。

経営管理ビザの申請は複雑です。
様々な出費が多いので、手続を間違うと不要な出費を伴います。出費は最小限度に抑えて経営管理ビザを取得していきましょう。

**自宅兼事務所では経営管理ビザは取得できません！**

原則として、自宅兼事務所では経営管理ビザの取得要件である「住む場所と事務所を分けなければならない」という要件を満たしません。
したがって、経営管理ビザ申請前には、自宅と事務所（店舗）をしっかり分けてから申請を行いましょう。

**一戸建てなら自宅と事務所を同じにできます！**

どうしても自宅と事務所を同じ場所にしたい場合は、一戸建てを借りるという方法もあります。
その場合は、１階は事務所、２階は住居というように、明確に分けることが必要です。明確に分けた上で、平面図を作成し、どこが事務所スペースでどこが住居スペースかわかるように入管に提出します。
さらに、光熱費については、法人用と個人用でどういう配分で使うのかについても、会社と社長個人間での契約書を作成する必要があります。

なお、マンションの場合は、３ＬＤＫでも事務所としては使用できません。

**事務所はレンタルオフィスでもよい？**

初期費用を抑えたければ、事務所の契約はレンタルオフィスでも可能です。レンタルオフィスで経営管理ビザを取るための要件は、ちゃんと個室スペースが確保されていることです。個室になってさえいれば大丈夫です。

つまり、「明確な区切りがあること」が必要で、壁やドアで他の部屋から明確に区画されている必要があります。

また、看板を出し、標識を掲げている必要もあります。レンタルオフィスでも、フリーデスクプランでは、個室が確保されませんから、経営管理ビザ取得の要件を満たせず、許可されませんので注意が必要です。

**バーチャルオフィスでも経営管理ビザは取れる？**

レンタルオフィスの場合、バーチャルオフィスというのがあります。しかし、バーチャルオフィスでは、経営管理ビザを取ることはできません。

バーチャルオフィスというのは、登記をするための住所としては使うことができますが、個室スペースがなく、その代わり月額１万円程度で安く借りれる形態のものです。

経営管理ビザを取るためには、日本国内に事業所を確保することが必要なのであって、こういったバーチャルオフィスによっては、事業所を確保したものとは出入国在留管理局が認めていないのです。

**店舗の契約について**

中華料理店やインド料理店などの飲食店経営や、整体などのマッサージ店を経営するということでも「経営管理ビザ」は取得できます。

店舗系ビジネスで経営管理ビザを取得するためには、事務所ではなく店舗の契約が必要です。そのため、店舗物件を確保し、内装を整えた上で、店舗内写真を撮り、出入国在留管理局に申請書と一緒に提出します。

飲食店であれば、看板やテーブル・椅子などがきちんとセッティングされていること、マッサージ店ならベッドなどがきちんとセッティングされていることが必要です。

また、経営管理ビザに関して重要なことは、経営管理ビザにおいて経営者は「経営をする」ためにビザが許可されるのであって、法律上は現場に立つことを想定していません。つまり、基本的に飲食店だったら、調理することやホール係を経営者がやることを想定していません。マッサージ店においては、経営者自らが整体師としてマッサージをすることを想定していません。

調理や整体は、それを専門にやるスタッフが確保されている必要があり、人員が確保されていることを事業計画書等などでしっかり証明していく必要があります。人員が確保されていないと、経営者自らが現場に立つのではないかという疑念を抱かれやすくなり、出入国在留管理局から追加で説明を求められることになる可能性が非常に高くなります。

### 友人の会社との共同事務所でも経営管理ビザを取れる？

友人の会社と同じ物件に共同事務所として入居する場合や、他社の事務所の一部を間借りすることで経営管理ビザが取れるかどうかについてですが、原則としては「共同事務所」や「間借り」ですと、経営管理ビザの取得要件で認める「事務所」としては認められません。

共同事務所や間借りで経営管理ビザを取りたい場合は、事務所がある程度広く、かつ事務所スペースが壁やドアで明確に区分けされている必要があります。

したがって、事務所の間取りが最初から区分けされていればビザの取得可能性はありますし、内装工事を入れて区分けをつくる場合は共同事務所や間借りでも経営管理ビザの取得が可能な場合があります。

これに対し、パーテーションで区分けするような簡易的な区分けですと、経営管理ビザは取得できません。

### 転借した事務所でも経営管理ビザは取れる？

転借した事務所・店舗でも、賃貸借契約書上、法律的に問題がなければ経営管理ビザは取得できます。

賃貸借契約書から転貸借の旨がわかり、物件オーナーの了承が得られているのであれば、適正に日本に事業所が確保されているとされビザは取得できます。

賃貸借契約書に不備があれば、賃貸借契約そのものの信ぴょう性が問われることもありますのでご注意ください。

また、経営管理ビザを取るためには、理由書になぜ転貸借だったのかについての説明をしたほうがよいでしょう。

**事務所が確保されていると認められた事例と認められなかった事例**

出入国在留管理局の事例から、次に事務所が確保されていると認められた事例と、認められなかった事例を抜粋してみました。

**【事例１】**

Ａは、本邦において、個人経営の飲食店を営むとして在留資格変更申請を行ったが，事務所とされる物件にかかる賃貸借契約における使用目的が「住居」とされていたものの、貸主との間で「会社の事務所」として使用することを認めるとする特約を交わしており、事業所が確保されていると認められた。

**【事例２】**

Bは、本邦において水産物の輸出入および加工販売業を営むとして在留資格認定証明書交付申請を行ったところ、本店が役員自宅である一方，支社として商工会所有の物件を賃借していたことから，事業所が確保されていると認められた。

【事例3】

Cは、本邦において株式会社を設立し、販売事業を営むとして在留資格認定証明書交付申請を行ったが、会社事務所と住居部分の入口は別となっており、事務所入口には会社名を表す標識が設置されていた。また、事務所にはパソコン、電話、事務机、コピー機等の事務機器が設置されるなど、事業が営まれていることが確認され，事業所が確保されていると認められた。

【事例4】

Dは、本邦において有限会社を設立し、当該法人の事業経営に従事するとして在留期間更新許可申請を行ったが、事業所がDの居宅と思われたことから調査したところ、郵便受け、玄関には事業所の所在を明らかにする標識等はなく、室内においても事業運営に必要な設備・備品等は設置されておらず、従業員の給与簿・出勤簿も存在せず、室内には日常生活品があるのみで、事業所が確保されているとは認められなかった。

【事例5】

Eは、本邦において有限会社を設立し、総販売代理店を営むとして在留資格認定証明書交付申請を行ったが、提出された資料から事業所が住居であると思われ、調査したところ、2階建てアパートで郵便受け・玄関には社名を表す標識等はなかった。また，居宅内も事務機器等は設置されておらず、家具等の一般日常生活を営む備品のみであったことから、事業所が確保されているとは認められなかった。

【事例６】

Ｆは、本邦において有限会社を設立し、設計会社を営むとして在留資格変更許可申請を行ったが、提出された資料から事業所が法人名義でも経営者の名義でもなく、従業員名義であり、同従業員の住居として使用されていたこと、当該施設の光熱費の支払も同従業員名義であったことおよび当該物件を住居目的以外での使用することの貸主の同意が確認できなかったことから、事業所が確保されているとは認められなかった。

## 8　会社印鑑の種類

日本で会社設立する際には、会社の印鑑が必要です。登記申請の前までに会社印鑑を用意する必要があります。

中国・韓国・台湾の方は、印鑑文化があるのですぐにご理解いただけますが、それ以外の国ではそもそも印鑑文化圏ではないため、「よくわからない…」という外国人の方もいらっしゃいます。

そこで、会社設立時に購入する印鑑について次にご説明したいと思います。

① 代表印

代表印は、会社の「実印」です。代表印は、実印として法務局に登録します。印鑑登録すると、印鑑カードが法務局から発行され、会社の印鑑証明書がいつでも法務局で取得できるようになります。

会社として様々な契約を行う際には、契約書に実印を押し、会社の印鑑証明書を添付するケースが多くあります。不動産の売買や賃貸、銀行から融資を受ける際には必ずといっていいほど、実印&印鑑証明書のセットで契約書を作成することになります。

② 銀行印

銀行印は、一般的に法人口座を作成するときに使う印鑑です。銀行用に、自動引落とし契約やその他の用途でも銀行での取引に使います。

銀行印は、会社設立においては必ず必要というわけではありません。実印を銀行口座開設に使っている会社も多いです。代表印と銀行印を同じハンコにすると楽ですが、万が一失くしてしまうと再発行手続が非常に煩雑になります。

③ 角印

角印は、言葉どおり、四角い印鑑です。法務局に登録もしませんし、銀行に登録もしません。したがって、法律的な意味合いは少ない印鑑です。

角印の使用方法としては、請求書や見積書に捺印して使うことが多いです。

もし、角印がない場合、つまり代表印しかない場合は、請求書や見積書にも実印を押すことになります。

請求書や見積書の作成はスタッフがやることを想定すれば、角印があったほうがリスク管理としてはよいと思います。

## 9　株式会社設立書類の実例サンプル

第1章のまとめとして、株式会社設立に必要な書類のうち、定款のサンプル（図表3）、発起人決定書のサンプル（図表4）、取締役就任承諾書のサンプル（図表5）、払込みがあったことを証する書面のサンプル（図表6）を掲げておきます。

株式会社設立手続において、一番重要なのは定款です。

定款は、商号、事業目的、本店の所在地、出資額、発起人、株式の譲渡制限、事業年度など会社の重要事項を定める書類です。

インターネットで検索すれば、雛形はダウンロードできますが、各々の会社の事情に合わせて加工が必要です。

【図表3　定款サンプル①】

株式会社○○

定　款

**【図表3　定款サンプル②】**

# 定　款

## 第1章　総　則

**第1条（商　号）**
当会社は、株式会社〇〇と称する。

**第2条（目　的）**
当会社は、次の事業を営むことを目的とする。
1. 〇〇〇〇〇〇
2. 〇〇〇〇〇〇
3. 〇〇〇〇〇〇
4. 〇〇〇〇〇〇
5. 〇〇〇〇〇〇
6. 〇〇〇〇〇〇
7. 〇〇〇〇〇〇
8. 〇〇〇〇〇〇
9. 〇〇〇〇〇〇
10. 前各号に附帯又は関連する一切の事業

**第3条（本店の所在地）**
当会社は、本店を〇〇県〇〇市に置く。

**第4条（公告の方法）**
当会社の公告方法は、官報に掲載する方法により行う。

## 第2章　株　式

**第5条（発行可能株式総数）**
当会社の発行可能株式総数は、〇〇〇株とする。

**第6条（株式の譲渡制限）**
当会社の株式を譲渡により取得するには、株主総会の承認を受けなければならない。

**第7条（株券の不発行）**
当会社は、株券を発行しない。

**第8条（相続人等に対する株式の売渡請求）**
当会社は、相続その他の一般承継により当会社の株式を取得した者に対し、当該株式を当会社に売り渡すことを請求することができる。

## 【図表３　定款サンプル③】

第９条（株主名簿記載事項の記載等の請求）

株式取得者が株主名簿記載事項を株主名簿に記載又は記録することを請求するには、当会社所定の書式による請求書に、その取得した株式の株主として株主名簿に記載若しくは記録された者又はその相続人その他の一般承継人と株式取得者が署名又は記名押印し共同してしなければならない。ただし、会社法施行規則第２２条第１項各号に定める場合には、株式取得者が単独で請求することができる。

第１０条（質権の登録及び信託財産の表示）

当会社の株式について質権の登録又は信託財産の表示を請求するには、当会社所定の書式による請求書に当事者が署名又は記名押印してしなければならない。その登録又は表示の抹消についても同様とする。

第１１条（手数料）

前２条の請求をする場合には、当会社所定の手数料を支払わなければならない。

第１２条（基準日）

当会社は、毎事業年度末日の最終の株主名簿に記載又は記録された議決権を有する株主をもって、その事業年度に関する定時株主総会において権利を行使することができる株主とする。

②前項のほか、株主又は登録株式質権者として権利を行使することができる者を確定するために必要があるときは、臨時に基準日を定めることができる。この場合には、その日を２週間前までに公告するものとする。

### 第3章　株　主　総　会

第１３条（招集）

当会社の定時株主総会は、毎事業年度終了後３か月以内に招集し、臨時株主総会は、随時必要に応じて招集する。

②株主総会を招集するには、会日より３日前までに、議決権を有する各株主に対して招集通知を発するものとする。ただし、その総会において議決権を行使することができる総株主の同意があるときは、この限りでない。

③前項の招集通知は、書面ですることを要しない。

第１４条（議長）

株主総会の議長は、取締役社長がこれに当たる。取締役社長に事故があるときは、他の取締役が議長になり、取締役全員に事故があるときは、総会において出席株主のうちから議長を選出する。

第１５条（決議の方法）

株主総会の普通決議は、法令又は定款に別段の定めがある場合を除き、出席した議決権を行使することができる株主の議決権の過半数をもって行う。

第１６条（総会議事録）

株主総会における議事の経過の要領及びその結果並びにその他会社法施行規則第７２条に定める事項は、議事録に記載又は記録し、議長及び出席した取締役がこれに署名若しくは記名押印又は電子署名をし、１０年間本店に備え置く。

【図表３　定款サンプル④】

第４章　取締役及び代表取締役

第１７条（取締役の員数）
当会社の取締役は、１名以上を置く。

第１８条（取締役の選任）
取締役は、株主総会において議決権を行使することができる株主の議決権の３分の１以上を有する株主が出席し、その議決権の過半数の決議によって選任する。
②前項の選任については、累積投票によらない。

第１９条（取締役の資格）
取締役は、当会社の株主の中から選任する。ただし、必要があるときは、株主以外の者から選任することを妨げない。

第２０条（取締役の任期）
取締役の任期は、選任後１０年以内に終了する最終の事業年度に関する定時株主総会の終結時までとする。
②補欠又は増員により就任した取締役の任期は、前任者又は他の在任取締役の任期の残存期間と同一とする。

第２１条（代表取締役及び役付取締役）
取締役が１名のときは、その取締役を代表取締役とし、社長とする。当会社に取締役を複数名置くときは、取締役の互選により代表取締役１名以上を定め、代表取締役を複数名置くときは、代表取締役の互選により代表取締役の中から社長１名を定める。必要に応じて会長及び副社長各１名並びに専務取締役及び常務取締役各若干名を選定することができる。

第２２条（取締役の報酬）
取締役の報酬は、株主総会の決議をもって定める。

第5章　計　算

第２３条（事業年度）
当会社の事業年度は、毎年〇月〇日から翌年〇月末日までの年１期とする。

第２４条（剰余金の配当）
剰余金の配当は、毎事業年度末日現在における株主名簿に記載又は記録された株主又は登録株式質権者に対して行う。
②剰余金の配当が、その支払提供の日から満３年を経過しても受領されないときは、当会社は、その支払義務を免れるものとする。

【図表３　定款サンプル⑤】

第6章　附　則

第２５条（設立の際に発行する株式）
当会社の設立に際して発行する株式は、普通株式○○○株とし、その発行価額は、１株につき金○万円とする。

第２６条（設立に際して出資される財産の価額及び成立後の資本金の額）
当会社の設立に際して出資される財産の価額は、金○○○万円とし、その全額を成立後の資本金とする。

第２７条（最初の事業年度）
当会社の最初の事業年度は、当会社成立の日から平成○○年○月末日までとする。

第２８条（設立時取締役及び設立時代表取締役）
当会社の設立時取締役及び設立時代表取締役は、次のとおりとする。

設立時取締役及び設立時代表取締役　　○○
設立時取締役及び設立時代表取締役　　○○

第２９条（発起人の氏名、住所等）
発起人の氏名、住所及び設立に際して割当てを受ける株数並びに株式と引換えに払い込む金銭の額は、次のとおりである。

○○○○国○○○○○○○○○○○○
発起人　　○○
普通株式　　○○株
金○○○万円

第３０条（法令の適用）
この定款に記載のない事項は、すべて会社法その他の関係法令によるものとする。

以上、株式会社○○設立に際し、発起人○○の定款作成代理人である行政書士○○は、電磁的記録であるこの定款を作成し、電子署名する。

令和　　年　　月　　日

発起人　○○○
上記発起人○名の定款作成代理人　　行政書士○○○

【図表４　発起人決定書サンプル】

**発起人決定書**

令和　　年　　月　　日、当会社創立事務所おいて、発起人全員が出席し、その全員の一致により下記事項を決定した。

１．本店の所在場所を次のとおりとする。

本店　〇〇〇〇〇〇〇〇〇〇〇〇〇

以上の決定事項を明確にするため、本決定書を作成し、発起人全員が次に記名押印する。

令和　　年　　月　　日

会社名　〇〇〇〇〇〇

発起人　〇〇〇

【図表５　取締役就任承諾書サンプル】

# 就任承諾書

私は、この度令和　　年　　月　　日に貴社の設立時取締役および設立時代表取締役に選任されましたので、その就任を承諾いたします。

令和　　年　　月　　日

住所：〇〇〇〇〇〇〇〇〇〇〇〇〇

〇〇　〇〇　　　　　印

株式会社〇〇〇　　御中

【図表６　払込みがあったことを証する書面サンプル】

# 払込みがあったことを証する書面

当会社の設立により発行する株式につき、次のとおり払込金額全額の払込みがあったことを証明します。

| | | |
|---|---|---|
| 払込みがあった金額の総額 | 金 | 万円 |
| 払込みがあった枚数 | | 株 |
| １株の払込金額 | 金 | 万円 |

令和　　年　　月　　日

（本店）　○○○○○○○○○○○○○

（商号）　株式会社○○○

（代表者）設立時取締役及び代表取締役○○○

## 【図表７　印鑑届書用紙】

# 印鑑（改印）届書

※ **太枠の中に書いてください。**

（地方）法務局　　　支局・出張所　　令和　　年　　月　　日 申請

| | | | |
|---|---|---|---|
| （注１）（届出印は鮮明に押印してください。） | 商号・名称 | | |
| | 本店・主たる事務所 | | |
| | 印鑑提出者 | 資　格 | 代表取締役・取締役・代表理事<br>理 事 ・ （　　　　　　） |
| | | 氏　名 | |
| | | 生年月日 | 大・昭・平・西暦　　年　　月　　日生 |
| （注２）□ 印鑑カードは引き継がない。<br>□ 印鑑カードを引き継ぐ。<br>印鑑カード番号<br>前 任 者 | 会社法人等番号 | | |

届出人（注３）　□ 印鑑提出者本人　　□ 代理人

| | | （注３）の印 |
|---|---|---|
| 住　所 | | |
| フリガナ<br>氏　名 | | |

委　任　状

私は，（住所）

（氏名）

を代理人と定め，印鑑（改印）の届出の権限を委任します。

令和　　年　　月　　日

住　所

氏　名　　　　　　　　　　印　（注３）の印〔市区町村に登録した印鑑〕

□ **市区町村長作成の印鑑証明書は，登記申請書に添付のものを援用する。（注４）**

（注１）　印鑑の大きさは，辺の長さが１cmを超え，３cm以内の正方形の中に収まるものでなければなりません。

（注２）　印鑑カードを前任者から引き継ぐことができます。該当する□にレ印をつけ，カードを引き継いだ場合には，その印鑑カードの番号・前任者の氏名を記載してください。

（注３）　本人が届け出るときは，本人の住所・氏名を記載し，**市区町村に登録済みの印鑑**を押印してください。代理人が届け出るときは，代理人の住所・氏名を記載，押印（認印で可）し，委任状に所要事項を記載し，本人が**市区町村に登録済みの印鑑**を押印してください。

（注４）　この届書には作成後３か月以内の**本人の印鑑証明書**を添付してください。登記申請書に添付した印鑑証明書を援用する場合は，□にレ印をつけてください。

| 印鑑処理年月日 | | | | |
|---|---|---|---|---|
| 印鑑処理番号 | 受　付 | 調　査 | 入　力 | 校　合 |
| | | | | |

（乙号・８）

## 【図表８　株式会社設立登記申請書様式サンプル】

受付番号票貼付欄

株式会社設立登記申請書

１．商　号

１．本　店

１．登記の事由　　令和　　年　　月　　日募集設立の手続終了

１．登記すべき事項　　別添ＣＤ－Ｒのとおり

１．課税標準金額　　金　　　万円

１．登録免許税　　金　　　　円

１．添付書類

上記のとおり，登記の申請をします。

令和　　年　　月

## 【図表９　外国会社営業所設置登記申請書サンプル】

受付番号票貼付欄

外国会社営業所設置登記申請書

１．商　号

１．本　店

１．登記の事由　　　営業所設置

１．営業所設置に関する通知書到達年月日　　令和　　年　　月　　日

１．登記すべき事項　　別添ＣＤ－Ｒのとおり

１．登録免許税　　　金　　　　円

１．添付書類

本店の存在を認めるに足りる書面　１通

日本における代表者の資格を証する書面　１通

定款又は外国会社の性質を識別するに足りる書面　通

公告方法についての定めを証する書面　通

上記書類の訳文　通
委任状　１通

上記のとおり，登記の申請をします。

令和　　年　　月　　日

# 第2章　経営管理ビザ

# 1　経営管理ビザとは

## 外国人が日本で会社を経営するために必要な経営管理ビザ

日本で外国人が会社設立し、会社を経営していくには、「経営管理ビザ」を取得しなければなりません。経営管理ビザは、社長（代表取締役）以外にも、取締役、支店長、工場長等の事業の経営・管理に関する業務を行う外国人も取得しなければならない対象となります。

経営管理ビザ取得のためには、様々な条件が必要です。近年、日本では、会社法改正があり、会社設立の際の最低資本金額の制度がなくなりましたので、実質的に資本金1円の会社もつくれますが、そういう会社では経営管理ビザの条件を満たすことができなくなる可能性がありますので注意が必要です。

経営管理ビザは、日本で貿易、その他の事業の経営を行い、または当該事業の管理に従事する活動を行うための【在留資格】です。

正式名称は、〝在留資格「経営・管理」〟ですが、経営管理ビザ、投資経営ビザ、投資ビザ、経営ビザ、インベスタービザ、マネジメントビザなどと略して言っている方もいます。

また、〝在留資格「経営・管理」〟は、２０１５年4月に、「投資・経営」から「経営・管理」に名称が変わったという経緯があるため、今でも昔の名残で「投資経営ビザ」と言っている方もいらっしゃいます。

外国人が日本で会社を経営するためには、「経営管理ビザ」を取得する必要があり、「技術・人文知識・国際業務」や「技能」、「家族滞在」や「留学」や「特定活動」のビザのままで会社経営をすることは違法となります。

また、海外居住の外国人が日本で会社設立をすることは、手続上は可能ですが、日本で経営をするためには「経営管理ビザ」を取得する必要があります。短期滞在や観光のまま会社経営をすることは違法です。

ただし、就労に制限のない「永住者」「日本人の配偶者等」、「永住者の配偶者等」、「定住者」の外国人は、「経営管理ビザ」を取得せずに、日本人と同じように適法に会社経営をすることが可能です。

**経営管理ビザで可能な活動の範囲**

経営管理ビザを取得することによって可能な活動の範囲は、次のとおりです。

- 新たに事業の経営を開始したり、その事業の管理に従事する活動
- 日本で既に営まれている事業に参画して経営・管理に従事する活動
- すでに経営を行っているものに代わって経営・管理する活動

「事業の経営を行う」とは、社長、取締役などの役員としてその経営を行う場合などのことです。重要事項の決定や業務の執行を行います。

「事業の管理に従事」とは、支店長や工場長などの管理者として働く場合などのことです。基本的に、経営管理ビザは、日本で新規に会社設立をして取得するのがケースとしては多いですが、会社を買収したり、既存の会社に役員として参画する場合も取得できます。

**経営管理ビザを取得するために会社設立前に検討すべき事項**

経営管理ビザを取得するために、外国人が日本で会社設立するために検討すべき事項は、次のとおりです。

① 出資要件でいく場合は、資本金は500万円以上で会社設立し、500万円の出所と送金経路を明確にしておくことが必要です。

② 日本に協力者がいないと会社設立手続と経営管理ビザ申請手続ができないケースでは、事前に協力者を確保しておくことが必要です。

③ 経営管理ビザ取得のためには、自宅を住所にしての法人登記はできません。さらに、事務所の不動産賃貸借契約では契約を法人名義にして、使用用途は「事業用」にしなければなりません。したがって、不動産契約の時期とタイミングを考え、家賃が無駄にならないようにスケジュールを検討する必要があります。

④ 経営管理ビザは、原則として、1つの会社には1人の外国人に対してしか許可されないので、同じ会社で2人以上取りたい場合は事前に対策が必要です（場合によっては、2名取得できる場

合もあります）。

このように、外国人の方が日本で会社設立し、経営をしていくには、在留資格の問題があり、会社法と入管法をミックスさせた知識と経験が必要です。日本人が日本で会社設立してビジネスをするよりも、外国人には高いハードルがあるのです。

経営管理ビザは、自分で「こういう会社で、こんな条件ですから、私に経営管理ビザをください」という証明をするための資料をつくって、出入国在留管理局へ提出しなければなりません。

立証責任がこちらにありますので、なかなか申請が難しいビザといえるでしょう。

経営管理ビザがもらえなければ、自分で会社を経営するための在留資格がなくなってしまいますので、結局、日本での会社経営は諦めなければならなくなります。

## 2　経営管理ビザの条件

経営管理ビザの取得条件については、申請人が日本で事業経営を開始しようとする場合と申請人が日本で事業の管理に従事しようとする場合の２つに大別できます。

**申請人が日本で事業経営を開始しようとする場合**

申請人が日本で事業経営を開始しようとする場合の条件は、次のとおりです。

・事業を営むための事業所として使用する施設（事務所・店舗等）が日本に確保されていること
・事業がその経営または管理に従事する者以外に2人以上の日本に居住する者（日本人・永住者・日本人の配偶者等・永住者の配偶者等・定住者）で、常勤の職員が従事して営まれる「規模」のものであること

その主な基準は、次のとおりです。

① 事業を行う事業所が日本にあること

「事業所の確保」や「事業の継続性」の認定をするに当たって、事業所の確保が重要です。

② 次のいずれかであること

a．経営または管理に従事する者以外に2人以上の常勤の職員がいる「規模」

b．資本金の額または出資の総額が500万円以上

③ 事業の経営または管理に実質的に従事すること

④ 事業の安定性・継続性

・**ポイント1**…以前の「投資・経営」は、外国人がわが国に投資していることを前提とすることにより、外資の参入している企業の経営・管理業に従事する外国人の受入れのために創設されたものでした。しかし、改正後の「経営・管理」については、投資が要件でなくなるものの③の「事業の経営または管理に実質的に従事」をどう証明するかにおいて従前どおり投資額が重要になります。

・**ポイント2**…新規に事業を開始する場合は、内容の具体性と出資したお金の出所をはっきりとさ

せることが重要です。本人の貯金通帳において証明する場合は〝貯金通帳の記録〟、親から出してもらう場合は〝送金の記録〟などです。その他、金銭消費貸借契約書や借用書です。

・**ポイント３…**経営管理ビザの更新の際、直近期末および直近期の1期前の期がともに債務超過である場合、２期連続して売上総利益がない場合、事業の継続性があるとは認められませんので、更新は難しくなります。

**●営業許可の取得**

経営管理ビザを取るために事業内容は基本的に制限はありませんが、事業を行うに当たり許可が必要な業種があります。

基本的には、経営管理ビザの許可の申請前に営業許可を取得しておかなければなりません。営業許可が取れなければ、自動的に経営管理ビザも取得できません。

**●営業許可の例**

・貿易事業……輸出酒類卸売業免許（酒類）、薬事法による製造販売業
・リサイクル店……古物商許可
・飲食店経営……食品営業許可
・不動産事業……宅地建物取引業免許
・旅行業……旅行業の登録
・お酒の販売業……酒類販売業免許

### 申請人が日本で事業の管理に従事しようとする場合

申請人が日本で事業の管理に従事しようとする場合の条件は、次のとおりです。

・事業の経営または管理について3年以上の経験（大学院で経営や管理を専攻した期間を含む）を有すること

・日本人と同等額以上の報酬を受けること

この場合は、本人の500万円以上の出資は不要です。

### 外国人の会社設立と経営管理ビザの関係

外国人が日本で会社設立すること（法務局で）と、経営管理ビザを取得すること（出入国在留管理局で）は、全く別の手続があり、さらに別の審査があります。

つまり、会社設立は、登記という性質上、必ず設立はできます。登記申請先は法務局です。しかしながら、経営管理ビザが取れるかどうかは、出入国在留管理局が決定するものであり、こちらは必ず取れるのかというと、しっかり事前に準備して申請しないと不許可になることもあります。

外国人の会社設立については、外国人の在留資格に専門外の司法書士や税理士事務所に会社設立手続だけ依頼して、経営管理ビザだけ行政書士に依頼するのは避けたほうがよろしいかと思います。

在留資格申請に不慣れな司法書士や税理士への（外国人の）会社設立依頼は、日本人と同じように会社設立手続を行い、会社設立はできたものの経営管理ビザが取得できないという事態に陥ることも考えられるからです。

## 3　経営管理ビザで代表取締役を招へいする（認定）

海外に居住している外国人代表取締役を日本に呼ぶことも可能です。この場合には、500万円以上を出資した代表取締役が海外から来るパターンと、金銭的出資をしないで、いわゆる雇われ社長（役員就任）として日本に招へいされるパターンに分かれます。

出資しない場合は、事業の管理者として経験が3年以上必要です。

①　500万円以上出資した代表取締役を海外から呼ぶ場合……許可のための重要なポイントは、500万円出資金の出所、事務所の確保、詳細な事業計画書作成です。

②　金銭出資なしで雇われ社長として呼ぶ場合……この場合は、既に日本に会社は設立済みであると思います。3年以上の会社の経営や管理の経験があること＋それを証明できることが必要です。

出資なしで経営管理ビザを取る場合で、本国に親会社があり、しっかりした経営基盤がある場合は証明が容易になり、許可が出やすくなります。

**経営管理ビザの審査期間はどのくらい？**

経営管理ビザの審査期間は、申請が受理されてから1か月～3か月かかります。ただし、審査期間中に出入国在留管理局から追加書類提出通知が来たり、出入国在留管理局が忙しい時期には3か月以上の審査がかかる場合もあります。

**数次の短期滞在ビザ（商用）で日本で会社経営はできるか**

数次の短期滞在ビザを持っていると、ある程度は日本と海外を自由に行ったり来たりすることができます。

ただし、数次の短期滞在ビザは、あくまでも短期滞在ビザですので、日本でできる活動に制限があります。

短期滞在ビザでできる活動は、商談・契約・会議・業務連絡等に限定されます。短期滞在ビザのままでも日本に会社を持つことはできますが、役員報酬をもらいながら経営活動はできません。疑義があると、空港の入国審査で入国を止められてしまうリスクがあります。

役員報酬をもらわないなら別ですが、役員報酬をもらいながら経営活動をする場合は、速やかに経営管理ビザを取得する必要があります。

## 4　就労ビザ「技術・人文知識・国際業務」から経営管理ビザへの変更

日本で会社員として働く外国人（就労ビザ）が起業して、経営管理ビザを取得するまでの流れについて説明したいと思います。

就労ビザから経営管理ビザへの変更許可申請を行うためには、基本的に実際にビジネスができる状態にしてから申請をしなければなりません。

つまり、オフィスや店舗を借りて、内装をきちんとしておかなければならないということです。

まずは、会社設立をすることです。

会社設立後は、税務署への各種届出を行います。

また、営業許認可が必要なビジネスの場合は、経営管理ビザ申請前に営業許可も取得する必要があります。

許認可が必要なビジネスというのは、例えば飲食店や美容室、不動産建設業などです。他にも許認可が必要なビジネスはあります。

経営管理ビザ取得に関しては、労働社会保険加入は必須ではありません。

ここまでの手続は、就労ビザのまま行います。

すべての手続が完了しないと経営管理ビザの申請ができないので、計画的に行動してスムーズに経営管理ビザを取得するようにしましょう。すべて準備してから変更申請をしますので、失敗すると取り返しがつかない状況になります。

多くの場合、外国人の方は、勤務先の会社を辞めてから会社設立手続とビジネスの準備を始めることが多いですが、会社を辞めると就労ビザとしての活動を行っていない期間となりますので、速やかに経営管理ビザへの在留資格変更許可申請を行う必要がありますので注意しましょう。

## 就労ビザのまま会社経営することはできない

「技術・人文知識・国際業務」や「技能」などの就労ビザは、会社に雇われて働くためのビザです。会社を経営することはできません。

フリーランス（個人事業主）でも、要件が揃えば「技術・人文知識・国際業務」は許可される場合もありますが、会社経営者には「技術・人文知識・国際業務」は許可されません。

また、「技術・人文知識・国際業務」を持って働いている外国人に対して、会社を経営する目的での資格外活動許可は許可されません。

したがって、会社を設立した後は、速やかに経営管理ビザへの変更申請をする必要があります。日本で会社を経営するためには、「経営管理ビザ」を取得する必要があり、「経営管理」ビザを取得せずに会社を経営することは不法就労になり摘発される原因となります。

サラリーマン外国人の中には、会社を辞めた後にまだ在留期間が1年や2年残っているからといって、「技術・人文知識・国際業務」のまま、会社経営をスタートする方がまれにいらっしゃいます。

しかし、会社を設立して「技術・人文知識・国際業務」のまま経営し、1年・2年後に経営管理ビザへの変更申請をしたとしても、それまでの不法就労状態に鑑み、不許可にされるか、現在の就労ビザの取消しも考えられますので十分ご注意ください。

## 5　技能ビザ「調理師」から経営管理ビザへの変更

現在、調理師として外国料理店に勤務しているが、独立して自分の外国料理店を経営したいと思っている場合には、技能ビザから経営管理ビザに変更する必要があります

経営管理ビザを取るためには、会社設立をし、そして５００万円以上を資本金として出資して会社をつくり、店舗を借りて、飲食店営業許可を取得すれば、経営管理ビザの取得要件は満たします。

自分で店舗を借りる以外に、友人から外国料理店を買収した場合でも可能です。

また、店の規模にもよりますが、最初は１～２名程度でしたら海外から調理師を呼ぶことも可能です。

**飲食店の経営者（経営管理ビザ）になったら調理作業はできない?!**

例えば、中華料理店やインド料理店を開店して、技能ビザから経営管理ビザに変更した場合ですが、経営者も調理をしなければならないときもあるかもしれません。

しかしながら、経営管理ビザは、「経営や管理」をするためのビザなので、調理ができる技能ビザではありません。そのため、経営活動の一環で付属的な業務として調理場で調理をすることはできますが、経営管理ビザの人が調理師と同じような仕事をすることは不法就労に当たります。

したがって、飲食店を経営するために経営管理ビザを取りたい場合は、経営者の主な仕事は経営をすることであって、調理をすることではないことを証明するために、従業員の雇用は必須になります。

従業員は、正社員でもアルバイトでもかまいません。飲食店を1人で運営することは実質ないとは思いますが、仮に調理師が経営者1人だと、経営管理ビザなのに調理ばかりしていると入管に誤解され、経営管理ビザが不許可になります。

そこで、ホールや調理スタッフの確保ができていることを、事業計画書の中でしっかり説明する必要があります。

## 6 留学ビザから経営管理ビザへの変更

日本語学校生、専門学校生、大学生、大学院生の外国人で、卒業後は会社をつくって自分でビジネスを行いたい方も多いと思います。

留学生が、卒業後に就職しないで、すぐに経営管理ビザを取ることは可能です。経営管理ビザは大学卒業要件はありませんので、高卒でも取得可能です。

留学生の場合は、通常3月卒業で、4月か5月には留学ビザが終わってしまうと思うので、計画的に準備を始めましょう。

経営管理ビザの申請前にしなければならないことは、これまでも繰り返し述べてきたように会社設立です。

会社設立に当たって、留学生の場合に注意しなければならないことは、資本金の出所です。経営管理ビザを取るためには、基本的に資本金５００万円の会社をつくりますが、この５００万円をどのように準備したのかの証明が必要になります。

というのは、留学ビザは、働くことができない在留資格です。資格外活動許可を得てアルバイトして貯めたお金も、「資本金」としては認められません。そのため、現実的には、両親などに資本金を援助してもらうことになることが多くなります。その場合、送金の流れや、集める資料など、準備しなければならないことは多いので、卒業の3か月前には準備を始めるとスムーズです。

経営管理ビザは、大学卒業や専門学校卒業などの学歴要件がありませんので、学歴がなくても取得できる在留資格です。しかしながら、留学ビザから経営管理ビザへの変更は、「経営者の資質」という面で審査が厳しくなる傾向にあります。

つまり、留学生ですと、社会人経験が不足していると見られてしまうことが多いのです。その場合は、綿密な事業計画書を作成して、経営者の資質をアピールすることにより、経営者の資質をカバーしていきます。

経営管理ビザを取るためには、ビジネスの種類は基本的にどのようなものであっても大丈夫です。事務所設置要件と５００万円の出資要件をクリアすれば取得できます。

しかしながら、「就職できなかったから会社をつくって経営管理ビザを取ればよい」とか、「とりあえず会社をつくれば経営管理ビザは取れるだろう」という考えでは許可されません。十分に事業計画を立てることが必要です。

また、「留学生の友だちが経営管理ビザを取れたから自分も大丈夫だろう」という考えは危険です。友だちとあなたのケースは違います。友だちが許可になったからといって、あなたも許可になるとは限らないことを肝に銘じてください。

**大学や専門学校を中退して経営管理ビザへの変更はできる？**

経営管理ビザの許可の要件は、大学や専門学校の卒業は必要ありませんので、中退しても取得は可能です。高卒でも可能です。

経営管理ビザの取得に学歴は不要です。投資額（資本金）や、資本金はどのように用意したのか、事務所の確保、事業計画書（損益計算含む）をしっかりつくって申請すれば、経営管理ビザが取得できるはずです。

しかし、注意が必要なのは、留学として日本に来たはずなのに、なぜ卒業してからではなく、中退してまで起業するのかという説明を十分にすることです。

中退して起業する外国人の中には、単純に「学校に行きたくないけど日本にいたい」という消極的な理由で経営管理ビザを取ろうと考える外国人がいます。そのような理由で申請していることが判明すると、許可されません。綿密な事業計画が必要です。

**退学処分された留学生でも経営管理ビザは取得できる?!**

日本語学校や専門学校は、出席率が重要で、出席率が極端に悪いと除籍される可能性があります。つまり退学させられることもあります。

除籍された留学生が、会社設立して経営管理ビザを取得しようとしても、「これまでの在留状況がよくない」という理由で、許可されないことが非常に多くなります。出席率や成績が悪く、除籍される前に自主退学した人も同じです。

審査においては、成績証明書や出席率を証明する書類を求められることが多いです。

成績や出席率が普通以上の外国人が、学校を中退し、会社設立するのは大丈夫なのですが、出席率や成績が悪い方が申請するときは十分注意が必要です。

しかしながら、その場合は、留学ビザから経営管理ビザへの直接変更をするのではなく、いったん帰国して、「認定」という形なら経営管理ビザを取れる可能性が高いです。

# 7　家族滞在ビザから経営管理ビザへの変更

会社員の外国人の配偶者は、「家族滞在」です。そして、家族滞在の妻や夫が会社をつくってビジネスを始めるということはよくあります。

自分の会社をつくって経営をするためには、「経営管理」の在留資格に変更する必要があります。家族滞在ビザのまま会社の経営はできません。

注意点は、家族滞在ビザで資格外活動オーバーで週28時間を超えていると、経営管理ビザへの変更が不許可になる可能性がかなり高くなることです。

万が一、家族滞在→経営管理が不許可になっても、家族滞在の方が配偶者と離婚していなければ、そのまま家族滞在で継続できる可能性はあります。

もし、経営管理ビザの不許可の決定がされた時点で家族滞在の期限が過ぎていたら？　大丈夫です。「特定活動」になってしまいますが、30日以内に「特定活動→家族滞在」へ変更が可能です。その後、再度、経営管理ビザを再申請してみることになります。

## 8　資本金500万円の出所証明

経営管理ビザは、外国人個人が1人で出資して会社を設立し、経営管理ビザを取りたい場合、通常は500万円以上出資して会社設立をします（既存会社の役員に就任するなど、500万円の出資がいらないパターンもありますが、ここでは500万円出資パターンでのお話です）。

そして、この500万円は、その出所が問われます。つまり、「どうやって500万円を貯めたのか」

という観点です。

単純に５００万円を用意して、会社設立登記をすればよいというわけではなく、経営管理ビザを取りたい場合には、資本金５００万円はどうやって用意したのかの証明も重要になるのです。

なぜ、出所が重要かというと、会社設立後に申請する経営管理ビザでは、出入国在留管理局から５００万円の出所を問われる確率が非常に高いからです。

日本人が会社をつくる場合は、資本金の出所などは一切問われません。外国人が会社をつくる場合にも、「法務局」では資本金の出所も一切問われません。しかし、経営管理ビザ申請の審査に当たっては、出入国在留管理局において、資本金の出所が問われます。したがって、会社設立の前から、資本金の出所を明らかにした上で、会社設立手続を進めていく必要があります。

何も説明することなく、５００万円がポンと銀行口座に資本金として振り込まれても、自分で貯めたのか、誰かから借りたのか、誰かからもらったのかが全くわかりません。

さらに、自分で貯めたならどうやって貯めたのか、誰かから借りたなら金銭消費貸借契約書はあるか、その契約内容はどんなものか、誰かからもらったなら誰からもらったのか、どうして５００万円という大金をもらえたのかを文書や立証資料で証明していく必要があります。

それに加えて、そのお金の流れも重要になります。自分で貯めたというなら、少しずつ貯めていく過程が銀行通帳からわかれば一番簡単なのですが、親から借りた場合には、親は親で本当に５００万円を持っていたのかという観点から、親の銀行口座明細の提出を要求されることもあります。

結論として、500万円の出所は重要になってきますので、会社設立前からどうやって証明をしていくかを検討しつつ会社設立手続を進めていかなければなりません。

### 親・親族から資本金を借りるときの注意点

自己資金だけでは500万円が用意できない場合に、親・親族からお金を借りる場合も多いと思います。

親・親族からお金を借りる場合でも経営管理ビザは取得できますが、金銭消費貸借契約書・送金記録・親や親族との関係性を公的書類で証明するなどが出入国在留管理局から求められることが多いです。

### 日本への資本金の持込・送金方法

500万円で会社設立する場合は、500万円を日本にどうやって持ってくるのかについてはいくつかの選択肢があります。もし、現金で持ち込む場合は、100万円以上は税関に申告しなければなりませんので、税関に申告した証明書が必要です。100万円以上を現金で持ち込んだにもかかわらず申告していない場合は、違法となるので経営管理ビザの審査に不利に働きます。

特に中国人の場合は、人民元の持ち出しに制限があるので注意が必要です。

銀行での海外送金についても、年間5万ドルまでという制限があり、円高などでそのときのレートによっては、5万ドル送っても500万円に満たないケースもあるので注意が必要です。

**将来日本で会社設立し、経営管理ビザを取りたい外国人の方へのアドバイス**

経営管理ビザでは、資本金の出所を問われる可能性が高いため、将来起業して会社設立したい場合は、今から500万円をどうやって準備するのかの計画が必要です。

自分で貯めるなら、しっかり証拠を残していってください。銀行口座に少しずつ貯金していくのが理想的です。形成過程を説明できるようにしてください。

「家の貯金箱で貯めた」と主張する外国人の方が時々いらっしゃいますが、それでは全く証拠になりませんので、銀行に預金することをおすすめします。

親や親族から借りた場合も、送金記録を残しましょう。現金で飛行機で持ってきたという方もいますが、その場合も税関にしっかり申告した証拠が必要です。

## 9　事業計画書のレベル

経営管理ビザ取得のためには、「事業計画書」の提出が必須です。事業計画書の中身は、出入国在留管理局における許可・不許可の審査項目の1つですからとても重要です。

**事業計画書のアピールポイントは**

経営管理ビザの取得要件として、「事業の継続性・安定性」があるので事業計画書の中でアピールする必要があるのと、もう1つ経営管理ビザを取得するための要件としては一定程度の規模が必要なので、それを事業計画書で説明することが必要があるからです。

事業計画書では、経営管理ビザの主要な要件である次の3つを詳細に説明します。

① 日本に居住する2人以上のフルタイムの社員を雇用する「規模」のビジネス
② 資本金が500万円以上であること
③ 前記①または②に準ずる規模であること

①についていえば、実際には2名以上も雇用する必要ないのですが、そのくらいの規模感のあるビジネスであるということを事業計画書の中で説明する必要があるということです。

実際には、500万円以上出資すれば2名の雇用は不要になりますが、前記①または②については事業計画書で詳細に説明する必要があります。さらには、その事業には、安定性と継続性もあるということをしっかりと事業計画書の中で証明していかなければなりません。

**事業計画書のボリューム・内容は**

事業計画書については、外国人の方が日本語で作成しなければいけないわけですから、なかなか難しい作業といえるでしょう。

そのためか、「事業計画書はどのくらいのボリュームで、どんな内容のものがいいのですか」という質問を受けることがままあります。

結論からいうと、経営管理ビザ取得のための事業計画書は、Ａ４サイズで7枚～10枚程度のボリュームで作成します。

内容は、事業概要、特徴、価格設定、サービスプラン、集客方法、取引先、事業のこれまでの進捗、これからの事業計画、将来の人員計画、今後1年間の損益計画書をまとめます。

出入国在留管理局に提出する事業計画書は、このような感じです。

日本人の経営者が事業計画書を作成するのは、銀行から融資を受けたり、国から補助金をもらったり、投資家から出資を受けるためというのが多いと思います。銀行は、きちんと返済されるかどうかが審査ポイントであるし、補助金は補助金の種類ごとに審査基準があります。投資家は投資に値するかという観点で審査します。

しかし、外国人が出入国在留管理局に対し経営管理ビザを取得するために作成する事業計画書は、これらの目的で作成するよりも別のポイントがあります。

出入国在留管理局は、出入国在留管理局の立場から、経営管理ビザを許可するに値するかどうかを事業計画書から判断しています。

**ビジネスの実態があるかどうかがポイント**

出入国在留管理局に提出する事業計画書作成のポイントは、ビジネスの実態があるかどうかです。

事業計画書では、「事業概要」、「経営理念」、「代表プロフィール」、「サービスの特徴とプラン」、「価格設定」、「集客方法」、「取引先・仕入先・外注先」、「事業のこれまでの進捗」、「これからの人員計画」、「組織体制」、「今後1年間の損益計画書」の項目ごとにまとめていきます。

出入国在留管理局は、「このビジネスが実現できるのか」、「どのように営業活動を行うのか」、「今後の収益見通しはついていているのか」、「そもそもこの外国人はどんな人で、どうして日本でビジネスしたいのか」に関心があります。したがって、これらを書面を通して理解してもらう必要があるのです。

経営管理ビザは、学歴や実務経験不要で、お金さえあれば取れてしまうビザともいえます。そのため、すぐに倒産してしまいそうな事業計画の会社やペーパーカンパニーに対しては、経営管理ビザを許可しないように厳しく審査しています。だからこそ、ビジネスの「実態」が重要なのです。

## 更新時は事業を継続できるかもポイント

もう1つの観点は、会社はある程度利益を出し、つぶれないで事業を継続できるかです。

経営管理ビザを取得するためには、ビジネスは大きくなくてもよく、少しだけの黒字でもいいのです。ただし、出入国在留管理局からすれば、赤字を垂れ流す外国人が経営する会社が日本に存在するのは全く国益とならないので、赤字決算企業は経営管理ビザの更新が徐々に難しくなってきます。

経営管理ビザは、最初は「1年」しか出ないのが通常です。1年の更新時に再度審査が入ります。事業計画書と実際の動きはどうだったかの審査です。

更新時は、確定申告書一式（貸借対照表・損益計算書）の提出が求められます。更新時に赤字決算であったなら、今後はどのように黒字転換を図るのかについて再度事業計画書を作成し説明しなければなりません。

債務超過であれば、単に事業計画書を作成するだけでは足りず、公認会計士または中小企業診断士による評価書面も必要になってきます。

外国人が赤字を垂れ流している会社を何年も継続することを出入国在留管理局は許しません。

## 10　経営者の経歴は重要か

**起業の場合は、実務経験も学歴も不要**

経営管理ビザは、経営者の経歴は要件に入っていません。管理者としての出資なしで経営管理ビザを取ろうとするときは、3年以上の経験が必要です。しかし、起業の場合は、実務経験も学歴も不要です。

実務経験も学歴も不要で、さらにこれから日本で行う事業について全く経験がなくてもよいのですが、経営管理ビザを取るためには、事業計画書で経営の経験がなくても事業を成り立たせることができることを客観的に証明していく必要があります。

突き詰めれば、次のようになります。
・500万円以上出資するなら経歴は不要

・出資なしで経営管理ビザを取るなら経歴が必要

**60歳以上は要注意**

外国人経営者が60歳未満なら経営経験がなくても基本的に大丈夫ですが、60歳以上で経営未経験からの起業となると、法律上は経歴が要件ではないのにもかかわらず、経営した経験がないのにこの年齢で日本で起業するのは不自然と判断され、不許可になりやすいです。

したがって、60歳以上で経営管理ビザを取ろうとする場合は、本国での数年間の事業経験も要求されることが多いのでご注意ください。

## 11　従業員2名の雇用について

**2名以上の従業員雇用は絶対か**

「これから日本で会社設立を考えていますが、経営管理ビザを取る場合、必ず2名以上の従業員を雇用しなければならないのでしょうか」という質問を受けることがありますが、2名以上の従業員を雇用しなくても経営管理ビザは取得可能です。

経営管理ビザの取得要件は、「2人以上の従業員を雇用する規模の事業であること」ですが、

500万円以上の投資が行われていれば、2名以上の従業員の雇用はしなくても問題ありません。実際には、社員を雇用せずに、社長1人でも経営管理ビザ取得は可能です。

もしくは、500万円を資本金として用意できない場合は、2名以上の従業員（日本人か永住者）を雇用することで、経営管理ビザ取得が可能です。

しかし、例えば、資本金300万円で会社をつくり、経営管理ビザを取りたい場合は、固定費として人件費が2名分増えるわけですから、経営自体は厳しくなります。したがって、出入国在留管理局からは、より詳細な事業計画書を要求される可能性が高くなります。

**従業員2名の雇用はなぜ不要なのか**

経営管理ビザを取得しようと考える外国人は、最初は通常「1人会社」で起業します。その場合、資本金500万円で事業規模を立証すれば、常勤雇用者2名は「不要」なのです。

法律の条文には、次の規定がありますので誤解している方が多いですが、2名採用は「不要」です。

> ・申請に係る事業の規模が次のいずれかに該当していること
> イ　その経営又は管理に従事する者以外に日本に居住する二人以上の常勤職員（法別表第1の上欄の在留資格をもって在留する者を除く。）が従事して営まれるものであること

500万円以上投資して事業を始める場合には、2人以上の常勤職員が必要な「規模」と判断され、実際に2名の社員雇用は不要になります。

もっとも、注意点もあります。

経営管理ビザは、「経営と管理」をするための在留資格ですから、原則的には経営と管理しかできません。

貿易やネットショップ、ITビジネスなどのいわゆるオフィスワークの業種であれば、外国人経営者1人で、スタッフ0人でも経営管理ビザ取得は可能です。

しかし、店舗系ビジネス（例：飲食店、小売店、マッサージ店、美容サロン等）を経営する外国人経営者の主たる職務内容は、経営と管理業務である必要があり、自分で調理したり、自分でマッサージをするという業務は基本的にできません。つまり、現場労働は、経営管理ビザでは認められていません。

例えば、飲食店経営者で経営管理ビザを取りたい場合、経営者以外に調理師やホール接客担当がいなければ、非常に不許可になりやすいのです。調理師や接客担当を確保していないと、経営者が調理したり、接客するのだろうと判断されるからです。

ですから、店舗系ビジネスで経営管理ビザを取りたい場合は、必ず接客スタッフや現場スタッフを確保した上で申請するようにしてください。接客スタッフは、正社員でもアルバイトでも構いません。また、日本人でも外国人でも構いません。

# 第3章

# 入管申請書類作成ガイド・マニュアル

# 1　経営管理ビザ申請の必要書類

【共通書類】

・在留資格認定証明書交付申請書または在留資格変更許可申請書
・外国人本人の証明写真（縦4センチ×横3センチ）
・返信用封筒（宛先を明記、404円切手貼付）※認定の場合のみ
・在留カード（変更の場合）
・パスポートのコピー
・大学の卒業証書または卒業証明書（大卒の場合）
・日本語能力を証明する書類（日本語能力試験合格証などがあれば）
・申請理由書（これまでの経歴、起業のきっかけ、出資金の形成過程説明、共同経営者と知り合ったきっかけ、共同経営者との役割分担、起業準備中に行ったこと、自分の強み、経営にかけるいきごみ、会社の概要、将来の事業展望などを記入）

【会社に関する書類】

・出資金の形成過程説明を証明できる書類（出資による場合）

◇共通

・事業計画書
・損益計画表
・登記事項証明書
・定款のコピー
・年間投資額と資本金の出所を説明する文書
・株主名簿
・取締役の報酬を決定する株主総会議事録
・会社名義の銀行通帳のコピー
・設立時取締役選任および本店所在地決議書のコピー
・就任承諾書のコピー
・会社案内またはＨＰ（役員、沿革、業務内容、主要取引先が記載されたもの）
・会社の写真（ビル外観、入口、ポスト、オフィス内、建物の住居表示、フロア別案内板など。オフィス内には、机、ＰＣ、電話、キャビネットなどが設置されていること）
・オフィスの建物賃貸借契約書のコピー（オフィスの不動産を所有している場合は、「登記事項証明書」が必要）
・給与支払事務所等の開設届出書のコピー（税務署の受付印があるもの）
・源泉所得税の納期の特例の承認に関する申請書のコピー（税務署の受付印があるもの）

・法人設立届出書（税務署の受付印があるもの）
・青色申告の承認申請書（税務署の受付印があるもの）
・法人（設立時）の事業概況書（税務署の受付印があるもの）

**◇飲食店や旅行業、不動産業など許認可を必要とするビジネスをする場合**

・営業許可証のコピー

**◇発起人に企業が含まれている場合**

・登記事項証明書
・定款のコピー
・株主名簿
・決算報告書（直近年度）

**◇管理者として雇用される場合**

・雇用契約書
・事業の経営または管理について3年以上の経験があることを証明できる資料

**◇既存会社の役員になる場合**

・最新年度の貸借対照表・損益計算書のコピー
・前年分の職員の給与所得の源泉徴収票等の法定調書合計表（受付印のあるものの写し）

**◇外国法人内の日本支店に転勤する場合**

・異動通知書または派遣状のコピー（要日本語翻訳）

## 2　在留資格認定証明書交付申請書の書き方（海外から代表取締役の招へい）

**■在留資格認定証明書交付申請書　1枚目　申請人等作成用1**（図表10）

**・証明写真**

写真は、縦が4センチ、横が3センチの証明写真となります。基本的には、3か月以内に撮影したものです。

以前のパスポートと同じ写真では、入管窓口で撮り直しを指示され、別の写真を貼るように言われますのでご注意ください。

**・1　国籍・地域**

この欄には、申請人の国籍を記入します。例：中国、韓国、ベトナムなど

地域とあるのは、日本の立場から国とされていない台湾や香港などが該当します。基本的には、国名を書いておけば間違いありません。

**・2　生年月日**

生年月日は、必ず西暦を使ってください。例：1985年3月5日など

## 【図表 10　在留資格認定証明書交付申請書　申請人等作成用 1】

別記第六号の三様式（第六条の二関係）
申請人等作成用 1
For applicant, part 1

日本国政府法務省
Ministry of Justice, Government of Japan

### 在 留 資 格 認 定 証 明 書 交 付 申 請 書
### APPLICATION FOR CERTIFICATE OF ELIGIBILITY

写 真
Photo
40mm × 30mm

法 務 大 臣 殿
To the Minister of Justice

出入国管理及び難民認定法第7条の2の規定に基づき，次のとおり同法第7条第1項第2号に掲げる条件に適合している旨の証明書の交付を申請します。
Pursuant to the provisions of Article 7-2 of the Immigration Control and Refugee Recognition Act, I hereby apply for the certificate showing eligibility for the conditions provided for in 7, Paragraph 1, Item 2 of the said Act.

1 国 籍・地 域 Nationality/Region　　2 生年月日 Date of birth　年 Year　月 Month　日 Day

3 氏 名 Name　Family name　Given name

4 性 別 Sex　男 Male ・ 女 Female　5 出生地 Place of birth　6 配偶者の有無 Marital status　有 Married ／ 無 Single

7 職 業 Occupation　8 本国における居住地 Home town/city

9 日本における連絡先 Address in Japan

電話番号 Telephone No.　携帯電話番号 Cellular phone No.

10 旅券 Passport　(1)番 号 Number　(2)有効期限 Date of expiration　年 Year　月 Month　日 Day

11 入国目的（次のいずれか該当するものを選んでください。） Purpose of entry: check one of the followings

□ I「教授」 "Professor"　□ I「教育」 "Instructor"　□ J「芸術」 "Artist"　□ J「文化活動」 "Cultural Activities"　□ K「宗教」 "Religious Activities"　□ L「報道」 "Journalist"

□ L「企業内転勤」 "Intra-company Transferee"　□ L「研究（転勤）」 "Researcher (Transferee)"　□ M「経営・管理」 "Business Manager"　□ N「研究」 "Researcher"　□ N「技術・人文知識・国際業務」 "Engineer / Specialist in Humanities / International Services"

□ N「介護」 "Nursing Care"　□ N「技能」 "Skilled Labor"　□ N「特定活動（研究活動等）」 "Designated Activities ( Researcher or IT engineer of a designated org)"　□ N「特定活動（本邦大学卒業者）」 "Designated Activities (Graduate from a university in Japan)"

□ V「特定技能（1号）」 "Specified Skilled Worker ( i )"　□ V「特定技能（2号）」 "Specified Skilled Worker ( ii )"　□ O「興行」 "Entertainer"　□ P「留学」 "Student"　□ Q「研修」 "Trainee"

□ Y「技能実習（1号）」 "Technical Intern Training ( i )"　□ Y「技能実習（2号）」 "Technical Intern Training ( ii )"　□ Y「技能実習（3号）」 "Technical Intern Training ( iii )"　□ R「家族滞在」 "Dependent"

□ R「特定活動（研究活動等家族）」 "Designated Activities (Dependent of Researcher or IT engineer of a designated org)"　□ R「特定活動（EPA家族）」 "Designated Activities(Dependent of EPA)"　□ R「特定活動（本邦大卒者家族）」 "Designated Activities(Dependent of Graduate from a university in Japan)"

□ T「日本人の配偶者等」 "Spouse or Child of Japanese National"　□ T「永住者の配偶者等」 "Spouse or Child of Permanent Resident"　□ T「定住者」 "Long Term Resident"

□「高度専門職（1号イ）」 "Highly Skilled Professional(i)(a)"　□「高度専門職（1号ロ）」 "Highly Skilled Professional(i)(b)"　□「高度専門職（1号ハ）」 "Highly Skilled Professional(i)(c)"　□ U「その他」 Others

12 入国予定年月日 Date of entry　年 Year　月 Month　日 Day　13 上陸予定港 Port of entry

14 滞在予定期間 Intended length of stay　15 同伴者の有無 Accompanying persons, if any　有 Yes ／ 無 No

16 査証申請予定地 Intended place to apply for visa

17 過去の出入国歴 Past entry into / departure from Japan　有 Yes ／ 無 No
（上記で『有』を選択した場合） (Fill in the followings when the answer is "Yes")
回数　回 time(s)　直近の出入国歴 The latest entry from　年 Year　月 Month　日 Day から to　年 Year　月 Month　日 Day

18 犯罪を理由とする処分を受けたことの有無（日本国外におけるものを含む。） Criminal record (in Japan / overseas)
有（具体的内容 Yes ( Detail:　）・ 無 ) / No

19 退去強制又は出国命令による出国の有無 Departure by deportation /departure order　有 Yes ／ 無 No
（上記で『有』を選択した場合） (Fill in the followings when the answer is "Yes")　回数　回 time(s)　直近の送還歴 The latest departure by deportation　年 Year　月 Month　日 Day

20 在日親族（父・母・配偶者・子・兄弟姉妹など）及び同居者 Family in Japan (Father, Mother, Spouse, Son, Daughter, Brother, Sister or others) or co-residents
有（「有」の場合は，以下の欄に在日親族及び同居者を記入してください。）・ 無
Yes (If yes, please fill in your family members in Japan and co-residents in the following columns) / No

| 続 柄 Relationship | 氏 名 Name | 生年月日 Date of birth | 国 籍・地 域 Nationality/Region | 同居予定の有無 Intended to reside with applicant or not | 勤務先名称・通学先名称 Place of employment/school | 在留カード番号 特別永住者証明書番号 Residence card number Special Permanent Resident Certificate number |
|---|---|---|---|---|---|---|
| | | | | 有・無 Yes / No | | |
| | | | | 有・無 Yes / No | | |
| | | | | 有・無 Yes / No | | |
| | | | | 有・無 Yes / No | | |

※ 20については，記載欄が不足する場合は別紙に記入して添付すること。なお，「研修」，「技能実習」に係る申請の場合は記載不要です。
Regarding item 20, if there is not enough space in the given columns to write in all of your family in Japan, fill in and attach a separate sheet.
In addition, take note that you are not required to fill in item 20 for applications pertaining to "Trainee" / "Technical Intern Training".

（注）裏面参照の上，申請に必要な書類を作成して下さい。 Note : Please fill in forms required for application. (See notes on reverse side.)

昭和や平成は使いません。

**・3　氏名**

氏名は、基本的にパスポートどおりに記入します。

中国人や韓国人のような漢字の名前がある場合は、漢字とアルファベットを必ず併記するようにします。

中国人の記載例：王　柳　Wang Liu

アルファベットしかない名前の場合は、アルファベットだけでかまいません。

**・4　性別**

どちらかの性別に丸をつけます。

**・5　出生地**

生まれた場所を記入します。例：中国上海市　など

**・6　配偶者の有無**

有か無に丸をつけます。

**・7　職業**

申請人の現在の職業を記載します。例：会社経営など

**・8　本国における居住地**

招へいする外国人の現在住んでいる住所を記入します。

・9　日本における連絡先

この欄には、基本的には日本の会社の住所と電話番号、携帯電話番号を記入します。

・10　旅券

旅券とは、パスポートのことです。パスポートを見ながら、(1)番号は、パスポートのナンバーを書きます。(2)有効期限は、パスポートの有効期限を書きます。有効期限は数字で記入してください。

・11　入国目的

今回取得しようとしている〝M「経営管理」〟の欄にチェックします。

・12　入国予定年月日

外国人経営者の入国予定日を記入することになりますが、ここはあくまで予定日を記入します。在留資格認定証明書が許可されないうちに航空券を買って入国日を決定できるわけがないと思いますが、審査期間が1~2か月程度かかると考え、申請日から2~3か月後の予定日を入れておくとよいでしょう。

・13　上陸予定港

例としては、成田空港や関西国際空港と記入します。どこで日本に入国する予定かということです。基本的には、どこかの空港になると思います。

・14　滞在予定期間

外国人経営者がどのくらい日本に滞在する予定かということですが、基本的には会社経営に終わりがないという前提に立ち、「長期」などと書きます。

・15　**同伴者の有無**

外国人経営者が日本に入国する際に、一緒に入国する外国人がいるかということです。

例えば、家族滞在ビザで配偶者や子と一緒に来日する場合は「有」にチェックし、同伴者がいない場合は「無」にチェックします。

・16　**査証申請予定地**

「査証」とはビザのことです。日本の出入国在留管理局で在留資格認定証明書を取得したら、現地の外国人経営者へ送ります。外国人経営者、それを持って日本大使館（領事館）へ行き、査証（ビザ）を申請するわけですが、どこの日本大使館（領事館）へ行く予定かということです。

例：北京、ソウル、バンコクなど

・17　**過去の出入国歴**

申請人である外国人経営者が、過去日本に入国したことがあるかどうかを問う質問です。今回が初めての入国になるなら、「無」にチェックすればよいですが、日本に入国したことがある場合は、パスポートの記録などを見ながら、今まで何回日本に入国したことがあるのかと、直近の入国歴をいつからいつまでというように記入してください。

もし、現時点で、短期で日本に来ている場合は、いつから現在まで、というような記載となります。

・18　**犯罪を理由とする処分を受けたことの有無**

犯罪で処分を受けたことがあるかという問いかけです。処分を受けたことなので、具体的に懲役や罰金などが該当します。

わかりやすくいえば、自転車泥棒で捕まったことがあっても、罰金などの処分を受けていなければ「無」となります。

・19　**退去強制又は出国命令による出国の有無**

これは、過去において日本に住んでいたことがあった場合に、オーバーステイや不法滞在などで出入国在留管理局の退去強制や出国命令により出国したことがあるかという質問になります。

・20　**在日親族（父・母・配偶者・子・兄弟姉妹など）及び同居者**

この欄には、外国人経営者の親族が日本にいる場合は記入します。その場合、在留カード番号や勤務先の社名や通学先の学校名なども具体的に記入しなければなりません。

**■在留資格認定証明書交付申請書　２枚目　申請人等作成用２**（図表11）

・21　**勤務先**

外国人経営者が設立した会社、もしくは役員として招へいされる会社の名称、支店・事業所名、所在地、電話番号を記入します。

・22　**最終学歴**

## 【図表11　在留資格認定証明書交付申請書　申請人等作成用２】

申請人等作成用２　M（「高度専門職（1号ハ）」・「経営・管理」）　在留資格認定証明書用
For applicant, part 2 M ("Highly Skilled Professional(i)(c)" / "Business Manager")　For certificate of eligibility

21 勤務先 Place of employment　※ (2)及び(3)については，主たる勤務場所の所在地及び電話番号を記載すること。 For sub-items (2) and (3), give the address and telephone number of your principal place of employment.
(1)名称 Name ＿＿＿＿　支店・事業所名 Name of branch ＿＿＿＿
(2)所在地 Address ＿＿＿＿　(3)電話番号 Telephone No. ＿＿＿＿

22 最終学歴 Education (last school or institution)
□ 大学院（博士）Doctor　□ 大学院（修士）Master　□ 大学 Bachelor　□ 短期大学 Junior college　□ 専門学校 College of technology
□ 高等学校 High school　□ 中学校 Junior high school　□ その他（　　）Others
(1)学校名 Name of school ＿＿＿＿　(2)卒業年月日 Date of graduation ＿＿年 Year ＿＿月 Month ＿＿日 Day

23 専攻・専門分野 Major field of study
（22で大学院（博士）～短期大学の場合）(Check one of the followings when the answer to the question 22 is from doctor to junior college)
□ 法学 Law　□ 経済学 Economics　□ 政治学 Politics　□ 商学 Commercial science　□ 経営学 Business administration　□ 文学 Literature
□ 語学 Linguistics　□ 社会学 Sociology　□ 歴史学 History　□ 心理学 Psychology　□ 教育学 Education　□ 芸術学 Science of art
□ その他人文・社会科学（　　）Others(cultural / social science)　□ 理学 Science　□ 化学 Chemistry　□ 工学 Engineering
□ 農学 Agriculture　□ 水産学 Fisheries　□ 薬学 Pharmacy　□ 医学 Medicine　□ 歯学 Dentistry
□ その他自然科学（　　）Others(natural science)　□ 体育学 Sports science　□ その他（　　）Others
（22で専門学校の場合）(Check one of the followings when the answer to the question 22 is college of technology)
□ 工業 Engineering　□ 農業 Agriculture　□ 医療・衛生 Medical services / Hygienics　□ 教育・社会福祉 Education / Social welfare　□ 法律 Law
□ 商業実務 Practical commercial business　□ 服飾・家政 Dress design / Home economics　□ 文化・教養 Culture / Education　□ その他（　　）Others

24 事業の経営又は管理についての実務経験年数 Experiences of operating or managing the business ＿＿年 Year(s)

25 職　歴 Employment history

| 入社 Date of joining the company 年 Year | 入社 月 Month | 退社 Date of leaving the company 年 Year | 退社 月 Month | 勤務先名称 Place of employment | 入社 Date of joining the company 年 Year | 入社 月 Month | 退社 Date of leaving the company 年 Year | 退社 月 Month | 勤務先名称 Place of employment |
|---|---|---|---|---|---|---|---|---|---|
| | | | | | | | | | |
| | | | | | | | | | |
| | | | | | | | | | |
| | | | | | | | | | |

26 申請人，法定代理人，法第7条の2第2項に規定する代理人
Applicant, legal representative or the authorized representative, prescribed in Paragraph 2 of Article 7-2.
(1)氏　名 Name ＿＿＿＿　(2)本人との関係 Relationship with the applicant ＿＿＿＿
(3)住　所 Address ＿＿＿＿
電話番号 Telephone No. ＿＿＿＿　携帯電話番号 Cellular Phone No. ＿＿＿＿

**以上の記載内容は事実と相違ありません。** I hereby declare that the statement given above is true and correct.
**申請人（代理人）の署名／申請書作成年月日** Signature of the applicant (representative) / Date of filling in this form
年 Year　月 Month　日 Day

注　意　申請書作成後申請までに記載内容に変更が生じた場合，申請人（代理人）が変更箇所を訂正し，署名すること。
Attention　In cases where descriptions have changed after filling in this application form up until submission of this application, the applicant (representative) must correct the part concerned and sign their name.

※ 取次者 Agent or other authorized person
(1)氏　名 Name ＿＿＿＿　(2)住　所 Address ＿＿＿＿
(3)所属機関等 Organization to which the agent belongs ＿＿＿＿　電話番号 Telephone No. ＿＿＿＿

外国人経営者の最終学歴について、該当するどれかにチェックを入れ、（1）学校名と（2）卒業年月日を記入します。

・23　**専攻・専門分野**

外国人経営者の卒業した大学等での専攻分野にチェックを入れます。

・24　**事業の経営又は管理についての実務経験年数**

過去に事業の経営や管理業務の経験がある場合は、年数を記入します。経営管理ビザを実務経験年数要件で取得しようとする場合に重要な項目です。

・25　**職歴**

外国人経営者の職歴を記載します。職歴が多くて書き切れない場合は、「別紙のとおり」と書き、職務経歴書を別途作成します。

職歴がない場合は、「なし」と記入します。

空欄のまま放置するのは、ＮＧです。

・26　**申請人、法定代理人、法第7条の2第2項に規定する代理人**

「(1) 氏名」には、会社設立時の協力者か、社員の氏名を書きます。

「(2) 本人との関係」は、「共同経営者」「社員」などと書きます。

「(3) 住所、電話番号」は、会社のものでかまいません。

最後に、署名と年月日を記入します。

一番下の「※取次者」というは、行政書士に依頼した場合に行政書士側で記入する署名欄になります。

**■在留資格認定証明書交付申請書　３枚目　所属機関等作成用１（図表12）**

**・１　経営を行い又は管理に従事する外国人の氏名**

今回、経営管理を取ろうとしている外国人経営者の氏名を書きます。

**・２　勤務先**

「（1）名称」には、代表取締役・役員として就任する会社の社名を記入します。

「（2）法人番号」には、会社の法人番号を記入します。法人番号は、国税庁の法人番号公式サイトで調べることができます。

「（3）支店・事業所名」には、代表取締役・役員として就任する会社に支店や事業所名があれば記入します。

「（4）事業内容」は、メインの事業内容を1つだけ選びチェックを入れ、他に事業内容がある場合は該当するものを選びます。

**■在留資格認定証明書交付申請書　４枚目　所属機関等作成用２（図表13）**

「（5）所在地　電話番号」には、勤務地の住所を書きます。支店で働く場合は支店の住所です。

## 【図表 12　在留資格認定証明書交付申請書　所属機関等作成用 1】

所属機関等作成用 1　M（「高度専門職（1号ハ）」・「経営・管理」）　在留資格認定証明書用
For organization, part 1 M ("Highly Skilled Professional(i)(c)" / "Business Manager")　For certificate of eligibility

1 経営を行い又は管理に従事する外国人の氏名
Name of foreign national who is to engage in management of business.

2 勤務先　Place of employment
※(5)及び(10)については，主たる勤務場所について記載すること。 For sub-items (5) and (10) give the address and telephone number of employees of your principal place of employment.
※非営利法人の場合は(6)～(9)の記載は不要。 In cases of a nonprofit corporation, you are not required to fill in sub-items (6) to (9).

(1)名称
Name

(2)法人番号（13桁）　Corporation no. (combination of 13 numbers and letters)

(3)支店・事業所名
Name of branch

(4)事業内容　Type of business
○主たる事業内容を以下から選択して番号を記入（1つのみ）
Select the main business type from below and write the corresponding number (select only one)

○他に事業内容があれば以下から選択して番号を記入（複数選択可）
If there are other business types, select from below and write the corresponding number (multiple answers possible)

製造業 Manufacturing【 ①食料品 Food products　②繊維工業 Textile industry　③プラスチック製品 Plastic products　④金属製品 Metal products　⑤生産用機械器具 Industrial machinery and equipment　⑥電気機械器具 Electrical machinery and equipment　⑦輸送用機械器具 Transportationmachinery and equipment　⑧その他（　　）Others 】

卸売業 Wholesale【 ⑨各種商品（総合商社等）Various products (general trading company, etc.)　⑩繊維・衣服等 Textile, clothing, etc.　⑪飲食料品 Food and beverages　⑫建築材料，鉱物・金属材料等 Building materials, mineral and metal materials etc.　⑬機械器具 Machinery and equipment　⑭その他（　　）Others 】

小売業 Retail【 ⑮各種商品 Various products　⑯織物・衣服・身の回り品 Fabric, clothing, personal belongings　⑰飲食料品（コンビニエンスストア等）Food and beverages (convenience store, etc.)　⑱機械器具小売業 Machinery and equipment retailing　⑲その他（　　）Others 】

学術研究，専門・技術サービス業　Academic research, specialized / technical services
【 ⑳学術・開発研究機関 Academic research, specialized / technical service industry　㉑専門サービス業（他に分類されないもの）Specialized service industry (not categorized elsewhere)　㉒広告業 Advertising industry　㉓技術サービス業（他に分類されないもの）Technical service industry (not categorized elsewhere) 】

医療・福祉業 Medical / welfare services【 ㉔医療業 Medical industry　㉕保健衛生 Health and hygiene　㉖社会保険・社会福祉・介護事業 Social insurance / social welfare / nursing care 】

㉗農林業 Agriculture　㉘漁業 Fishery　㉙鉱業，採石業，砂利採取業 Mining, quarrying, gravel extraction　㉚建設業 Construction　㉛電気・ガス・熱供給・水道業 Electricity, gas, heat supply, water supply
㉜情報通信業 Information and communication industry　㉝運輸・信書便事業 Transportation and correspondence　㉞金融・保険業 Finance / insurance　㉟不動産・物品賃貸業 Real estate / rental goods
㊱宿泊業 Accommodation　㊲飲食サービス業 Food and beverage service industry　㊳生活関連サービス（理容・美容等）・娯楽業 Lifestyle-related services (barber / beauty, etc.) / entertainment industry
㊴学校教育 School education　㊵その他の教育，学習支援業 Other education, learning support industry　㊶職業紹介・労働者派遣業 Employment placement / worker dispatch industry
㊷複合サービス事業（郵便局，農林水産業協同組合，事業協同組合（他に分類されないもの））
Combined services (post office, agriculture, forestry and fisheries cooperative association, business cooperative (not categorized elsewhere))
㊸その他の事業サービス業（速記・ワープロ入力・複写業，建物サービス業，警備業等）
Other business services (shorthand / word processing / copying, building services, security business, etc.)
㊹その他のサービス業（　　）　㊺宗教 ㊻公務（他に分類されないもの）
Other service industries　Religion　Public service (not categorized elsewhere)
㊼分類不能の産業（　　）
Unclassifiable industry

## 【図表 13　在留資格認定証明書交付申請書　所属機関等作成用 2】

所属機関等作成用 2　M（「高度専門職（1号ハ）」・「経営・管理」）　在留資格認定証明書用
For organization, part 2 M ("Highly Skilled Professional(i)(c)" / "Business Manager")　For certificate of eligibility

(5)所在地
Address ＿＿＿＿＿＿＿＿
電話番号
Telephone No. ＿＿＿＿＿＿＿＿

(6)資本金 Capital ＿＿＿＿ 円　(7)年間売上高（直近年度） Annual sales (latest year) ＿＿＿＿ 円

(8)法人税納付額 Amount of corporate income tax ＿＿＿＿ 円　(9)申請人の投資額 Amount of applicant's investment ＿＿＿＿ 円

(10)常勤従業員数 Number of full-time employees ＿＿＿＿ 名　（申請人が経営を開始する場合にのみ記載）(To be filled in only, if the applicant is to commence management of business)

（うち日本人，特別永住者又は「永住者」，「日本人の配偶者等」，「永住者の配偶者等」若しくは「定住者」の在留資格を有する者）
(Number of Japanese, Special Permanent Resident or foreign nationals who have the status of residence "Permanent Resident", "Spouse or Child of Japanese National", "Spouse or Child of Permanent Resident" and "Long Term Resident" among all full-time employees.) ＿＿＿＿ 名

3 活動内容 Type of work
□ 経営（例：企業の社長，取締役） Executive (ex. President, director of a company )
□ 管理（例：企業の部長） Manager (ex. Division head of a company )

4 就労予定期間 Period of work ＿＿ 年 Year ＿＿ 月 Month　（申請人が管理者の場合にのみ記載）(Only fill in this section if the applicant is an administrator)

5 給与・報酬（税引き前の支払額） Salary/Reward (amount of payment before taxes) ＿＿＿＿ 円 Yen　（□ 年額 Annual　□ 月額 Monthly ）

6 職務上の地位（役職名） Position(Title) ＿＿＿＿

7 事業所の状況 Office
(1)面積 Area ＿＿＿＿ ㎡　(2)保有の形態 Type of possession　□ 保有 Ownership　□ 賃貸（家賃／月） Lease (rent / month) ＿＿＿＿ 円 Yen

**以上の記載内容は事実と相違ありません。** I hereby declare that the statement given above is true and correct.
**勤務先又は所属機関名，代表者氏名の記名及び押印／申請書作成年月日**
Name of the organization and representative, and official seal of the organization ／ Date of filling in this form

印 Seal　　年 Year　月 Month　日 Day

**注意** Attention
**申請書作成後申請までに記載内容に変更が生じた場合，所属機関等が変更箇所を訂正し，押印すること。**
In cases where descriptions have changed after filling in this application form up until submission of this application, the organization must correct the part concerned and press its seal on the correction.

必ずしも本社所在地の住所を書くわけではありません。

「(6) 資本金」には、資本金の額を書きます。

「(7) 年間売上高」には、2期目以降の会社であれば、決算報告書を見ながら直近年度の売上を書きます。新設会社であれば、0円と書きます。

「(8) 法人税納付額」の欄は、2期目以降ならその金額を記入、新設会社は0円と書きます。

「(9) 申請人の投資額」は、申請人が投資した額を500万円などと記入します。

「(10) 常勤従業員数」欄は、従業員数を記入します。

**・3 活動内容**

「経営・管理」のうち経営に当てはまるのか、管理に当てはまるかによって、どちらかにチェックを入れます。

**・4 就労予定期間**

管理での申請をする場合のみ、就労予定期間を記入します。

**・5 給与・報酬（税引き前の支払額）**

年額か月額かにチェックを入れ、役員報酬の金額を記入します。

**・6 職務上の地位**

代表取締役などと記入します。

**・7 事業所の状況**

賃貸借契約書や登記事項証明書を見ながら、「（1）面積」や「（2）保有の形態」の家賃を記入します。
最後に、「勤務先又は所属機関名、代表者氏名の記名及び押印／申請書作成年月日」を記入します。
記名の例：○○株式会社　代表取締役○○
押印は、会社印を用います。

# 3　在留資格変更許可申請書の書き方（経営管理ビザへの変更）

■在留資格変更許可申請書　1枚目　申請人等作成用1（図表14）

・証明写真

縦が4センチ、横が3センチの証明写真です。基本的には、3か月以内に撮影したものです。以前のパスポートや在留カードと同じ写真では、入管窓口で撮り直しを指示され、別の写真を貼るように言われますのでご注意ください。

・1　国籍・地域

この欄には、申請人の国籍を記入します。例：中国、韓国、ベトナムなど
地域とあるのは、日本の立場から国とされていない台湾や香港などが該当します。基本的には、

国名を書いておけば間違いありません。

・2　**生年月日**

生年月日は、必ず西暦を使います。例：1985年3月5日など

昭和や平成は使いません。

・3　**氏名**

氏名は、基本的にパスポートどおりに記入します。

中国人や韓国人のような漢字の名前がある場合は、漢字とアルファベットを必ず併記します。

中国人の記載例：王　柳　Wang Liu

アルファベットしかない名前の場合は、アルファベットだけでかまいません。

・4　**性別**

男女どちらかを丸で囲みます。

・5　**出生地**

生まれた場所を記入します。例：中国上海市　など

・6　配偶者の有無

有か無のどちらかを丸で囲みます。

・7　**職業**

申請人の現在の職業を記載します。例：会社員、大学生

**・8　本国における居住地**

外国人経営者の母国の住所を記入します。

**・9　住居地**

日本の住所と電話番号、携帯電話番号を記入します。固定電話がない場合は、「なし」と書きます。

**・10　旅券**

旅券（パスポート）を見ながら、「（1）番号」には、パスポートのナンバーを書きます。「（2）有効期限」には、パスポートの有効期限を書きます。有効期限は、数字で記入してください。

**・11　現に有する在留資格**

現在持っている在留資格の種類を書きます。例：技術・人文知識・国際業務

在留期間を書きます。例：1年、3年など

在留期限の満了日は在留カードを見て書きます。

**・12　在留カード番号**

現に持っている在留カードを見て在留カード番号を記入します。

**・13　希望する在留資格**

今回取りたい在留資格である「経営管理」と記入します。希望する在留期間は、3年とか5年とか長めに書くほうがよいです。しかし、3年と書いても、3年になるかどうかは審査結果によります。

**・14　変更の理由**

## 【図表 14　在留資格変更許可申請書　申請人等作成用 1 】

別記第三十号様式（第二十条関係）
申請人等作成用 1
For applicant, part 1

日本国政府法務省
Ministry of Justice,Government of Japan

### 在　留　資　格　変　更　許　可　申　請　書
### APPLICATION FOR CHANGE OF STATUS OF RESIDENCE

写 真
Photo

法　務　大　臣　殿
To the Minister of Justice

出入国管理及び難民認定法第20条第2項の規定に基づき，次のとおり在留資格の変更を申請します。
Pursuant to the provisions of Paragraph 2 of Article 20 of the Immigration Control and Refugee Recognition Act,
I hereby apply for a change of status of residence.

1 国 籍・地 域 Nationality/Region ＿＿＿＿　2 生年月日 Date of birth ＿＿ 年 Year ＿＿ 月 Month ＿＿ 日 Day

3 氏 名 Name　Family name ＿＿＿＿ Given name ＿＿＿＿

4 性 別 Sex　男 ・ 女 Male/Female　5 出生地 Place of birth ＿＿＿＿　6 配偶者の有無 Marital status　有 ・ 無 Married / Single

7 職 業 Occupation ＿＿＿＿　8 本国における居住地 Home town/city ＿＿＿＿

9 住居地 Address in Japan ＿＿＿＿

電話番号 Telephone No. ＿＿＿＿　携帯電話番号 Cellular phone No. ＿＿＿＿

10 旅券 Passport　(1)番 号 Number ＿＿＿＿　(2)有効期限 Date of expiration ＿＿ 年 Year ＿＿ 月 Month ＿＿ 日 Day

11 現に有する在留資格 Status of residence ＿＿＿＿　在留期間 Period of stay ＿＿＿＿

在留期間の満了日 Date of expiration ＿＿ 年 Year ＿＿ 月 Month ＿＿ 日 Day

12 在留カード番号 Residence card number ＿＿＿＿

13 希望する在留資格 Desired status of residence ＿＿＿＿

在留期間 Period of stay ＿＿＿＿　（審査の結果によって希望の期間とならない場合があります。）( It may not be as desired after examination.)

14 変更の理由 Reason for change of status of residence ＿＿＿＿

15 犯罪を理由とする処分を受けたことの有無（日本国外におけるものを含む。） Criminal record (in Japan / overseas)
有（具体的内容 Yes ( Detail: ＿＿＿＿ ）・ 無 / No

16 在日親族（父・母・配偶者・子・兄弟姉妹など）及び同居者
Family in Japan(Father, Mother, Spouse, Son, Daughter, Brother, Sister or others) or co-residents
有（「有」の場合は，以下の欄に在日親族及び同居者を記入してください。）・ 無
Yes (If yes, please fill in your family members in Japan and co-residents in the following columns) / No

| 続 柄<br>Relationship | 氏 名<br>Name | 生年月日<br>Date of birth | 国 籍・地 域<br>Nationality/Region | 同居の有無<br>Residing with applicant or not | 勤務先名称・通学先名称<br>Place of employment/ school | 在 留 カ ー ド 番 号<br>特別永住者証明書番号<br>Residence card number<br>Special Permanent Resident Certificate number |
|---|---|---|---|---|---|---|
| | | | | 有・無<br>Yes / No | | |
| | | | | 有・無<br>Yes / No | | |
| | | | | 有・無<br>Yes / No | | |
| | | | | 有・無<br>Yes / No | | |
| | | | | 有・無<br>Yes / No | | |
| | | | | 有・無<br>Yes / No | | |

※ 16については，記載欄が不足する場合は別紙に記入して添付すること。 なお,「研修」,「技能実習」に係る申請の場合は記載不要です。
Regarding item 16, if there is not enough space in the given columns to write in all of your family in Japan, fill in and attach a separate sheet.
In addition, take note that you are not required to fill in item 16 for applications pertaining to "Trainee" or "Technical Intern Training".

（注）裏面参照の上，申請に必要な書類を作成して下さい。 Note : Please fill in forms required for application. (See notes on reverse side.)

在留資格を変更したい理由を書くわけですが、1行しかないため「別紙のとおり」と書き、理由書で詳細をまとめることをおすすめします。

・15　犯罪を理由とする処分を受けたことの有無

犯罪で処分を受けたことがあるかということです。処分を受けたことなので、具体的に懲役や罰金などが該当します。

わかりやすくいえば、自転車泥棒で捕まったことがあっても、罰金などの処分を受けてなければ「無」とはなります。

・16　在日親族（父・母・配偶者・子・兄弟姉妹など）及び同居者

この欄には、外国人経営者の親族が日本にいる場合は記入します。その場合、在留カード番号や勤務先の社名や通学先の学校名なども具体的に記入しなければなりません。

■在留資格変更許可申請書　２枚目　申請人等作成用２（図表15）

・17　勤務先

今回設立した会社の「(1) 名称　支店・事業所名」、「(2) 所在地」、「(3) 電話番号」を記入します。

・18　最終学歴

最終学歴のどれかにチェック入れ、「(1) 学校名」と「(2) 卒業年月日」を記入します。

・19　専攻・専門分野

## 【図表 15　在留資格変更許可申請書　申請人等作成用 2】

申請人等作成用 2　M（「高度専門職（1号ハ）」・「高度専門職（2号）」・「経営・管理」）　在留期間更新・在留資格変更用
（変更申請の場合のみ）　For extension or change of status
For applicant, part 2 M ("Highly Skilled Professional(i)(c)" / "Highly Skilled Professional(ii)" (only in cases of change of status) / "Business Manager")

17 勤務先 Place of employment　※ (2)及び(3)については，主たる勤務場所の所在地及び電話番号を記載すること。 For sub-items (2) and (3), give the address and telephone number of your principal place of employment.
(1)名称 Name ________　支店・事業所名 Name of branch ________
(2)所在地 Address ________　(3)電話番号 Telephone No. ________

18 最終学歴 Education (last school or institution)
□ 大学院（博士） Doctor　□ 大学院（修士） Master　□ 大学 Bachelor　□ 短期大学 Junior college　□ 専門学校 College of technology
□ 高等学校 High school　□ 中学校 Junior high school　□ その他（　　　） Others
(1)学校名 Name of school ________　(2)卒業年月日 Date of graduation ________ 年 Year　月 Month　日 Day

19 専攻・専門分野 Major field of study
（18で大学院（博士）～短期大学の場合） (Check one of the followings when your answer to the question 18 is from doctor to junior college)
□ 法学 Law　□ 経済学 Economics　□ 政治学 Politics　□ 商学 Commercial science　□ 経営学 Business administration　□ 文学 Literature
□ 語学 Linguistics　□ 社会学 Sociology　□ 歴史学 History　□ 心理学 Psychology　□ 教育学 Education　□ 芸術学 Science of art
□ その他人文・社会科学（　　　） Others(cultural / social science)　□ 理学 Science　□ 化学 Chemistry　□ 工学 Engineering
□ 農学 Agriculture　□ 水産学 Fisheries　□ 薬学 Pharmacy　□ 医学 Medicine　□ 歯学 Dentistry
□ その他自然科学（　　　） Others(natural science)　□ 体育学 Sports science　□ その他（　　　） Others
（18で専門学校の場合） (Check one of the followings when your answer to the question 18 is college of technology)
□ 工業 Engineering　□ 農業 Agriculture　□ 医療・衛生 Medical services / Hygienics　□ 教育・社会福祉 Education / Social Welfare　□ 法律 Law
□ 商業実務 Practical Commercial Business　□ 服飾・家政 Dress design / Home economics　□ 文化・教養 Culture / Education　□ その他（　　　） Others

20 事業の経営又は管理についての実務経験年数 Experiences of operating or managing the business ________ 年 Year(s)

21 職歴 Employment history

| 入社 Date of joining the company | | 退社 Date of leaving the company | | 勤務先名称 Place of employment | 入社 Date of joining the company | | 退社 Date of leaving the company | | 勤務先名称 Place of employment |
|---|---|---|---|---|---|---|---|---|---|
| 年 Year | 月 Month | 年 Year | 月 Month | | 年 Year | 月 Month | 年 Year | 月 Month | |
| | | | | | | | | | |
| | | | | | | | | | |
| | | | | | | | | | |
| | | | | | | | | | |

22 代理人（法定代理人による申請の場合に記入） Legal representative (in case of legal representative)
(1)氏　名 Name ________　(2)本人との関係 Relationship with the applicant ________
(3)住　所 Address ________
電話番号 Telephone No. ________　携帯電話番号 Cellular Phone No. ________

以上の記載内容は事実と相違ありません。 I hereby declare that the statement given above is true and correct.
申請人（法定代理人）の署名／申請書作成年月日 Signature of the applicant (legal representative) / Date of filling in this form
年 Year　月 Month　日 Day

注　意　申請書作成後申請までに記載内容に変更が生じた場合，申請人（法定代理人）が変更箇所を訂正し，署名すること。
Attention　In cases where descriptions have changed after filling in this application form up until submission of this application, the applicant (legal representative) must correct the part concerned and sign their name.

※ 取次者 Agent or other authorized person
(1)氏　名 Name ________　(2)住　所 Address ________
(3)所属機関等（親族等については，本人との関係） Organization to which the agent belongs (in case of a relative, relationship with the applicant) ________　電話番号 Telephone No. ________

外国人経営者の卒業した大学等での専攻分野にチェックを入れます。

・20　**事業の経営又は管理についての実務経験年数**

過去に事業の経営や管理業務の経験がある場合は、その年数を記入します。経営管理ビザを実務経験年数要件で取得しようとする場合には特に重要な項目です。

・21　**職歴**

外国人経営者の職歴を記載します。職歴が多く書き切れない場合は、「別紙のとおり」と書き、職務経歴書を別途作成します。職歴がない場合は、「なし」と記入します。空欄はＮＧです。

・22　**代理人**

法定代理人による申請の場合だけ記入するので、在留資格変更許可申請の場合は、ほとんどのケースで「(1) 氏名」「(2) 本人との関係」「(3) 住所」は空欄になるはずです。

最後に、申請人が署名と年月日を記入します。

一番下の「※取次者」の欄は、行政書士に依頼した場合に、行政書士側で記入する署名欄になります。

**■在留資格変更許可申請書　３枚目　所属機関等作成用１（図表16）**

・１　**経営を行い又は管理に従事する外国人の氏名及び在留カード番号**

今回経営管理を取ろうとしている外国人経営者の「(1) 氏名」と現に持っている「(2) 在留カード番号」を書きます。

## 【図表16　在留資格変更許可申請書　所属機関等作成用1】

所属機関等作成用 1　M（「高度専門職（1号ハ）」・「高度専門職（2号）」・「経営・管理」）（変更申請の場合のみ）　在留期間更新・在留資格変更用 For extension or change of status

For organization, part 1 M ("Highly Skilled Professional(i)(c)" / "Highly Skilled Professional(ii)" (only in cases of change of status) / "Business Manager"

1 経営を行い又は管理に従事する外国人の氏名及び在留カード番号
Name and residence card number of foreign national who is to engage in management of business

(1)氏 名 Name ＿＿＿＿＿＿　(2)在留カード番号 Residence card number ＿＿＿＿＿＿

2 勤務先 Place of work

※(5)及び(10)については，主たる勤務場所について記載すること。 For sub-items (5) and (10) give the address and telephone number of employees of your principal place of employment.
※非営利法人の場合は(6)～(9)の記載は不要。 In cases of a nonprofit corporation, you are not required to fill in sub-items (6) to (9).

(1)名称 Name ＿＿＿＿＿＿　(2)法人番号（13桁） Corporation no. (combination of 13 numbers and letters) □□□□□□□□□□□□□

(3)支店・事業所名 Name of branch ＿＿＿＿＿＿

(4)事業内容 Type of work
○主たる事業内容を以下から選択して番号を記入（1つのみ） □
Select the main business type from below and write the corresponding number (select only one)
○他に事業内容があれば以下から選択して番号を記入（複数選択可） ＿＿＿
If there are other business types, select from below and write the corresponding number (multiple answers possible)

製造業 Manufacturing【 ①食料品 Food products　②繊維工業 Textile industry　③プラスチック製品 Plastic products　④金属製品 Metal products
⑤生産用機械器具 Industrial machinery and equipment　⑥電気機械器具 Electrical machinery and equipment　⑦輸送用機械器具 Transportationmachinery and equipment　⑧その他（　　） Others 】

卸売業 Wholesale【 ⑨各種商品（総合商社等） Various products (general trading company, etc.)　⑩繊維・衣服等 Textile, clothing, etc.　⑪飲食料品 Food and beverages
⑫建築材料，鉱物・金属材料等 Building materials, mineral and metal materials etc.　⑬機械器具 Machinery and equipment　⑭その他（　　） Others 】

小売業 Retail【 ⑮各種商品 Various products　⑯織物・衣服・身の回り品 Fabric, clothing, personal belongings
⑰飲食料品（コンビニエンスストア等） Food and beverages (convenience store, etc.)　⑱機械器具小売業 Machinery and equipment retailing　⑲その他（　　） Others 】

学術研究，専門・技術サービス業 Academic research, specialized / technical services
【 ⑳学術・開発研究機関 Academic research, specialized / technical service industry　㉑専門サービス業（他に分類されないもの） Specialized service industry (not categorized elsewhere)
㉒広告業 Advertising industry　㉓技術サービス業（他に分類されないもの） Technical service industry (not categorized elsewhere) 】

医療・福祉業 Medical / welfare services【 ㉔医療業 Medical industry　㉕保健衛生 Health and hygiene　㉖社会保険・社会福祉・介護事業 Social insurance / social welfare / nursing care 】

㉗農林業 Agriculture　㉘漁業 Fishery　㉙鉱業，採石業，砂利採取業 Mining, quarrying, gravel extraction　㉚建設業 Construction　㉛電気・ガス・熱供給・水道業 Electricity, gas, heat supply, water supply

㉜情報通信業 Information and communication industry　㉝運輸・信書便事業 Transportation and correspondence　㉞金融・保険業 Finance / insurance　㉟不動産・物品賃貸業 Real estate / rental goods

㊱宿泊業 Accommodation　㊲飲食サービス業 Food and beverage service industry　㊳生活関連サービス（理容・美容等）・娯楽業 Lifestyle-related services (barber / beauty, etc.) / entertainment industry

㊴学校教育 School education　㊵その他の教育，学習支援業 Other education, learning support industry　㊶職業紹介・労働者派遣業 Employment placement / worker dispatch industry

㊷複合サービス事業（郵便局，農林水産業協同組合，事業協同組合（他に分類されないもの））
Combined services (post office, agriculture, forestry and fisheries cooperative association, business cooperative (not categorized elsewhere))

㊸その他の事業サービス業（速記・ワープロ入力・複写業，建物サービス業，警備業等）
Other business services (shorthand / word processing / copying, building services, security business, etc.)

㊹その他のサービス業（　　） Other service industries　㊺宗教 Religion　㊻公務（他に分類されないもの） Public service (not categorized elsewhere)

㊼分類不能の産業（　　） Unclassifiable industry

・２　勤務先

「(１) 名称」には、代表取締役・役員として就任する会社の社名をかきます。

「(２) 法人番号」には、会社の法人番号を記入します。法人番号は、国税庁の法人番号公式サイトで調べることができます。

「(３) 支店・事業所名」には、就任する会社に支店や事業所名があれば記入します。

「(４) 事業内容」は、メインの事業内容を１つだけ選びチェックを入れ、他に事業内容がある場合は該当するものを選びます。

■在留資格変更許可申請書　４枚目　所属機関等作成用２（図表17）

「(５) 所在地　電話番号」には、勤務地の住所を書きます。支店で働く場合は支店の住所です。必ずしも本社所在地の住所を書くわけではありません。

「(６) 資本金」には、資本金の額を書きます。

「(７) 年間売上高」には、２期目以降の会社であれば、決算報告書を見ながら直近年度の売上を書きます。新設会社であれば、０円と書きます。

「(８) 法人税納付額」の欄は、２期目以降ならその金額を記入、新設会社は０円と書きます。

「(９) 申請人の投資額」は、申請人が投資した額を５００万円などと記入します。

「(10) 常勤従業員数」欄は、従業員数を記入します。

## 【図表 17　在留資格変更許可申請書　所属機関等作成用 2】

所属機関等作成用 2　M（「高度専門職（1号ハ）」・「高度専門職（2号）」・「経営・管理」）在留期間更新・在留資格変更用
（変更申請の場合のみ）　For extension or change of status

For organization, part 2 M ("Highly Skilled Professional(i)(c)" / "Highly Skilled Professional(ii)" (only in cases of change of status) / "Business Manager"

(5)所在地
Address ____________________

電話番号
Telephone No. ____________________

(6)資本金
Capital ____________ 円 Yen

(7)年間売上高(直近年度
Annual sales (latest year) ____________ 円 Yen

(8)法人税納付額
Amount of corporate income tax ____________ 円 Yen

(9)申請人の投資額
Amount of applicant's investment ____________ 円 Yen
(申請人が経営を開始する場合にのみ記載) (To be filled in only, if the applicant is to commence management of business)

(10)常勤従業員数
Number of full-time employees ____________ 名

(うち日本人，特別永住者又は「永住者」，「日本人の配偶者等」，「永住者の配偶者等」若しくは「定住者」の在留資格を有する者)

(Number of Japanese, Special Permanent Resident or foreign nationals who have the status of residence "Permanent Resident", "Spouse or Child of Japanese National", "Spouse or Child of Permanent Resident" and "Long Term Resident" among all full-time employees.) ____________ 名

3 活動内容　Type of work
□ 経営者（例：企業の社長，取締役）
Executive (ex. President, director of a company)
□ 管理者（例：企業の部長）
Manager (ex. Division head of a company)

4 就労予定期間
Period of work ______ 年 Year ______ 月 Month
(申請人が管理者の場合にのみ記載)
(Only fill in this section if the applicant is an administrator)

5 給与・報酬（税引き前の支払額）
Salary/Reward (amount of payment before taxes) ____________ 円 Yen（ □ 年額 Annual □ 月額 Monthly ）

6 職務上の地位（役職名）
Position(Title) ____________

7 事業所の状況　Office
(1)面積
Area ________ ㎡
(2)保有の形態
Type of possession
□ 保有 Ownership
□ 賃貸（家賃／月）Lease (rent / month) ________ 円 Yen

**以上の記載内容は事実と相違ありません。** I hereby declare that the statement given above is true and correct.

**勤務先又は所属機関名，代表者氏名の記名及び押印／申請書作成年月日**

Name of the organization and representative, and official seal of the organization ／ Date of filling in this form

印 Seal　　年 Year　　月 Month　　日 Day

**注意**　Attention

**申請書作成後申請までに記載内容に変更が生じた場合，所属機関等が変更箇所を訂正し，押印すること。**

In cases where descriptions have changed after filling in this application form up until submission of this application, the organization must correct the part concerned and press its seal on the correction.

・3　**活動内容**

「経営・管理」のうち経営なのか、管理なのか、どちらかにチェックを入れます。

・4　**就労予定期間**

管理での申請をする場合のみ、就労予定期間を記入します。

・5　**給与・報酬（税引き前の支払額）**

年額か月額かにチェックを入れ、役員報酬の金額を記入します。

・6　**職務上の地位**

代表取締役などと記入します。

・7　**事業所の状況**

賃貸借契約書や登記事項証明書を見ながら、「（1）面積」や「（2）保有の形態」の家賃を記入します。

最後に、「勤務先又は所属機関名、代表者氏名の記名及び押印／申請書作成年月日」を記入。記名の例：○○株式会社　代表取締役○○。押印は、会社印を用います。

# 4　在留期間更新許可申請書の書き方（期間延長）

■在留期間更新許可申請書　1枚目　申請人等作成用1（図表18）

**・証明写真**

縦が4センチ、横が3センチの証明写真です。基本的には3か月以内に撮影したものです。以前の在留カードやパスポートと同じ写真では、入管窓口で撮り直しを指示され、別の写真を貼るように言われますのでご注意ください。

**・1　国籍・地域**

この欄には、申請人の国籍を記入します。例：中国、韓国、ベトナムなど

地域とあるのは、日本の立場から国とされていない台湾や香港などが該当します。基本的には、国名を書いておけば間違いありません。

**・2　生年月日**

生年月日は、必ず西暦を使ってください。例：1985年3月5日など

昭和や平成は使いません。

**・3　氏名**

氏名は、基本的にパスポートどおりに記入します。中国人や韓国人のような漢字の名前がある場合は、漢字とアルファベットを必ず併記するようにします。アルファベットしかない名前の場合はアルファベットだけでかまいません。　中国人の記載例：王　柳　Wang Liu

**・4　性別**

男女どちらかの性別を丸で囲みます。

## 【図表 18　在留期間更新許可申請書　申請人等作成用１】

別記第三十号の二様式（第二十一条関係）
申請人等作成用 1
For applicant, part1

日本国政府法務省
Ministry of Justice,Government of Japan

在 留 期 間 更 新 許 可 申 請 書
APPLICATION FOR EXTENSION OF PERIOD OF STAY

写 真
Photo

法 務 大 臣 殿
To the Minister of Justice

出入国管理及び難民認定法第21条第2項の規定に基づき，次のとおり在留期間の更新を申請します。
Pursuant to the provisions of Paragraph 2 of Article 21 of the Immigration Control and Refugee Recognition Act,
I hereby apply for extension of period of stay.

1 国 籍・地 域 Nationality/Region ＿＿＿＿　2 生年月日 Date of birth ＿＿ 年 Year 月 Month 日 Day

3 氏 名 Name　Family name　Given name ＿＿＿＿

4 性 別 Sex　男・女 Male/Female　5 配偶者の有無 Marital status　有・無 Married / Single

6 職 業 Occupation ＿＿＿＿　7 本国における居住地 Home town/city ＿＿＿＿

8 住居地 Address in Japan ＿＿＿＿

9 電話番号 Telephone No. ＿＿＿＿　携帯電話番号 Cellular phone No. ＿＿＿＿

10 旅券 Passport　(1)番 号 Number ＿＿＿＿　(2)有効期限 Date of expiration ＿＿ 年 Year 月 Month 日 Day

11 現に有する在留資格 Status of residence ＿＿＿＿　在留期間 Period of stay ＿＿＿＿
在留期間の満了日 Date of expiration ＿＿ 年 Year 月 Month 日 Day

12 在留カード番号 Residence card number ＿＿＿＿

13 希望する在留期間 Desired length of extension ＿＿＿＿　（審査の結果によって希望の期間とならない場合があります。）( It may not be as desired after examination.)

14 更新の理由 Reason for extension ＿＿＿＿

15 犯罪を理由とする処分を受けたことの有無（日本国外におけるものを含む。） Criminal record (in Japan / overseas)
有（具体的内容 ＿＿＿＿）・無
Yes ( Detail: ＿＿＿＿ ) / No

16 在日親族（父・母・配偶者・子・兄弟姉妹など）及び同居者
Family in Japan(Father, Mother, Spouse, Son, Daughter, Brother, Sister or others) or co-residents
有（「有」の場合は，以下の欄に在日親族及び同居者を記入してください。）・無
Yes (If yes, please fill in your family members in Japan and co-residents in the following columns) / No

| 続 柄 Relationship | 氏 名 Name | 生年月日 Date of birth | 国 籍・地 域 Nationality/Region | 同居の有無 Residing with applicant or not | 勤務先名称・通学先名称 Place of employment/ school | 在 留 カ ー ド 番 号 特別永住者証明書番号 Residence card number Special Permanent Resident Certificate number |
|---|---|---|---|---|---|---|
| | | | | 有・無 Yes / No | | |
| | | | | 有・無 Yes / No | | |
| | | | | 有・無 Yes / No | | |
| | | | | 有・無 Yes / No | | |
| | | | | 有・無 Yes / No | | |
| | | | | 有・無 Yes / No | | |

※ 16については，記載欄が不足する場合は別紙に記入して添付すること。 なお,「研修」,「技能実習」に係る申請の場合は記載不要です。
Regarding item 16, if there is not enough space in the given columns to write in all of your family in Japan, fill in and attach a separate sheet.
In addition, take note that you are not required to fill in item 16 for applications pertaining to "Trainee" or "Technical Intern Training".

(注) 裏面参照の上，申請に必要な書類を作成して下さい。 Note : Please fill in forms required for application. (See notes on reverse side.)

**・5　出生地**
生まれた場所を記入します。例：中国上海市　など
**・6　配偶者の有無**
有か無を丸で囲みます。
**・7　職業**
申請人の現在の職業を記載します。例：会社員、大学生
**・8　本国における居住地**
外国人経営者の母国の住所を記入します。
**・9　住居地**
日本の住所と電話番号、携帯電話番号を記入します。固定電話がない場合は、「なし」と書きます。
**・10　旅券**
旅券（パスポート）を見ながら、「(1) 番号」には、パスポートのナンバーを書きます。「(2) 有効期限」欄には、パスポートの有効期限を書きます。有効期限は数字で記入してください。
**・11　現に有する在留資格　在留期間　在留期間の満了日**
現在持っている在留資格（ビザ）の種類を書きます。例：経営管理
在留期間を書きます。例：1年、3年など
在留期限の満了日は、在留カードを見て書きます。

・12　在留カード番号

現に持っている在留カードを見て在留カード番号を記入します。

・13　希望する在留期間

希望する在留期間は3年とか5年とか長めに書いておいたほうがよいです。しかし3年と書いても3年になるかどうかは審査結果によります。

・14　更新の理由

在留期間を更新したい理由を書くわけですが、1行しかないため「別紙のとおり」と書き、理由書で詳細をまとめることをおすすめします。

・15　犯罪を理由とする処分を受けたことの有無

犯罪で処分を受けたことがあるかということです。処分を受けたことなので、具体的に懲役や罰金などが該当します。罰金などの処分を受けてなければ「無」とはなります。

・16　在日親族（父・母・配偶者・子・兄弟姉妹など）及び同居者

この欄には、外国人経営者の親族が日本にいる場合に記入します。その場合、在留カード番号や勤務先の社名や通学先の学校名なども具体的に記入しなければなりません。

■在留期間更新許可申請書　２枚目　申請人等作成用２（図表19）

・17　勤務先

自分の経営する会社の「(1) 名称　支店・事業所名」、「(2) 所在地」、「(3) 電話番号」を記入します。

・18　**最終学歴**

外国人経営者の最終学歴にチェックを入れ、「(1) 学校名」と「(2) 卒業年月日」を記入します。

・19　**専攻・専門分野**

外国人経営者の卒業した大学等での専攻分野にチェックを入れます。

・20　**事業の経営又は管理についての実務経験年数**

事業の経営や管理業務の経験がある場合は、年数を記入します。未経験で起業した外国人も、今回の更新で経営の実務経験を積んだはずです。

・21　**職歴**

外国人経営者の職歴を記載します。職歴が多く書ききれない場合は、「別紙のとおり」と書き、職務経歴書を別途作成します。職歴がない場合は「なし」と記入します。

空欄はＮＧです。

・22　**代理人**

法定代理人による申請の場合だけに記入するので、在留期間更新許可申請の場合はほとんどのケースで（1）（2）（3）は空欄になるはずです。

最後に申請人が署名と年月日を記入します。

一番下の「※取次者」とは、行政書士に依頼した場合に行政書士側で記入する署名欄になります。

## 【図表19　在留期間更新許可申請書　申請人等作成用2】

申請人等作成用２　M（「高度専門職（1号ハ）」・「高度専門職（2号）」・「経営・管理」）　在留期間更新・在留資格変更用
（変更申請の場合のみ）　For extension or change of status
For applicant, part 2 M ("Highly Skilled Professional(i)(c)" / "Highly Skilled Professional(ii)" (only in cases of change of status) / "Business Manager")

17 勤務先　※ (2)及び(3)については，主たる勤務場所の所在地及び電話番号を記載すること。
Place of employment　For sub-items (2) and (3), give the address and telephone number of your principal place of employment.
(1)名称 Name ＿＿＿＿　支店・事業所名 Name of branch ＿＿＿＿
(2)所在地 Address ＿＿＿＿　(3)電話番号 Telephone No. ＿＿＿＿

18 最終学歴 Education (last school or institution)
□ 大学院（博士）Doctor　□ 大学院（修士）Master　□ 大学 Bachelor　□ 短期大学 Junior college　□ 専門学校 College of technology
□ 高等学校 High school　□ 中学校 Junior high school　□ その他（　　）Others
(1)学校名 Name of school ＿＿＿＿　(2)卒業年月日 Date of graduation ＿＿ 年 Year ＿＿ 月 Month ＿＿ 日 Day

19 専攻・専門分野 Major field of study
（18で大学院（博士）～短期大学の場合）(Check one of the followings when your answer to the question 18 is from doctor to junior college)
□ 法学 Law　□ 経済学 Economics　□ 政治学 Politics　□ 商学 Commercial science　□ 経営学 Business administration　□ 文学 Literature
□ 語学 Linguistics　□ 社会学 Sociology　□ 歴史学 History　□ 心理学 Psychology　□ 教育学 Education　□ 芸術学 Science of art
□ その他人文・社会科学（　　）Others(cultural / social science)　□ 理学 Science　□ 化学 Chemistry　□ 工学 Engineering
□ 農学 Agriculture　□ 水産学 Fisheries　□ 薬学 Pharmacy　□ 医学 Medicine　□ 歯学 Dentistry
□ その他自然科学（　　）Others(natural science)　□ 体育学 Sports science　□ その他（　　）Others
（18で専門学校の場合）(Check one of the followings when your answer to the question 18 is college of technology)
□ 工業 Engineering　□ 農業 Agriculture　□ 医療・衛生 Medical services / Hygienics　□ 教育・社会福祉 Education / Social Welfare　□ 法律 Law
□ 商業実務 Practical Commercial Business　□ 服飾・家政 Dress design / Home economics　□ 文化・教養 Culture / Education　□ その他（　　）Others

20 事業の経営又は管理についての実務経験年数 Experiences of operating or managing the business ＿＿ 年 Year(s)

21 職 歴 Employment history

| 入社 Date of joining the company | | 退社 Date of leaving the company | | 勤務先名称 Place of employment | 入社 Date of joining the company | | 退社 Date of leaving the company | | 勤務先名称 Place of employment |
|---|---|---|---|---|---|---|---|---|---|
| 年 Year | 月 Month | 年 Year | 月 Month | | 年 Year | 月 Month | 年 Year | 月 Month | |
| | | | | | | | | | |
| | | | | | | | | | |
| | | | | | | | | | |
| | | | | | | | | | |

22 代理人（法定代理人による申請の場合に記入）Legal representative (in case of legal representative)
(1)氏 名 Name ＿＿＿＿　(2)本人との関係 Relationship with the applicant ＿＿＿＿
(3)住 所 Address ＿＿＿＿
電話番号 Telephone No. ＿＿＿＿　携帯電話番号 Cellular Phone No. ＿＿＿＿

**以上の記載内容は事実と相違ありません。** I hereby declare that the statement given above is true and correct.
**申請人（法定代理人）の署名／申請書作成年月日** Signature of the applicant (legal representative) / Date of filling in this form
年 Year　月 Month　日 Day

**注 意　申請書作成後申請までに記載内容に変更が生じた場合，申請人（法定代理人）が変更箇所を訂正し，署名すること。**
Attention　In cases where descriptions have changed after filling in this application form up until submission of this application, the applicant (legal representative) must correct the part concerned and sign their name.

※ 取次者 Agent or other authorized person
(1)氏 名 Name ＿＿＿＿　(2)住 所 Address ＿＿＿＿
(3)所属機関等（親族等については，本人との関係）Organization to which the agent belongs (in case of a relative, relationship with the applicant) ＿＿＿＿　電話番号 Telephone No. ＿＿＿＿

■在留期間更新許可申請書　3枚目　所属機関等作成用1（図表20）

・1　経営を行い又は管理に従事する外国人の氏名及び在留カード番号

経営管理を更新しようとしている外国人経営者の「(1)氏名」「(2)在留カード番号」を書きます。

・2　勤務先

「(1)名称」には、代表取締役・役員として就任する会社の社名をかきます。

「(2)法人番号」には、会社の法人番号を記入します。法人番号は、国税庁の法人番号公式サイトで調べることができます。

「(3)支店・事業所名」には、代表取締役・役員として就任する会社に支店や事業所名があれば記入します。

「(4)事業内容」は、メインの事業内容を1つだけ選びチェックを入れ、他に事業内容がある場合は該当するものを選びます。

■在留期間更新許可申請書　4枚目　所属機関等作成用2（図表21）

「(5)所在地　電話番号」には、勤務地の住所を書きます。支店で働く場合は支店の住所です。必ずしも本社所在地の住所を書くわけではありません。

「(6)資本金」には、資本金の額を書きます。

「(7)年間売上高」には、2期目以降の会社であれば、決算報告書を見ながら直近年度の売上を書きます。新設会社であれば、０円と書きます。

「(８) 法人税納付額」の欄は、２期目以降ならその金額を記入、新設会社は０円と書きます。

「(９) 申請人の投資額」は、申請人が投資した額を５００万円などと記入します。

「(10) 常勤従業員数」欄は、従業員数を記入します。

**・３　活動内容**

「経営・管理」のうち経営に当てはまるのか、管理に当てはまるかによって、どちらかにチェックを入れます。

**・４　就労予定期間**

管理での申請をする場合のみ、就労予定期間を記入します。

**・５　給与・報酬（税引き前の支払額）**

年額か月額かにチェックを入れ、役員報酬の金額を記入します。

**・６　職務上の地位**

代表取締役などと記入します。

**・７　事業所の状況**

賃貸借契約書や登記事項証明書を見ながら、事業所の「(１) 面積」や「(２) 保有の形態」を記入します。賃貸の場合は、月額の家賃も記入します。

最後に、「勤務先又は所属機関名、代表者氏名の記名及び押印／申請書作成年月日」を記入します。

記名の例：○○株式会社　代表取締役○○

押印は、会社印を用います。

在留資格の申請書自体は、出入国在留管理局で直接手に入れるか、出入国在留管理局のホームページからダウンロードが可能です。

しかし、その他の申請に必要な事業計画書や損益計算書などは、決まったフォーマットはありませんので各自用意する必要があります。

■問合せ先

申請書類を作成する上で不明な点がある場合、管轄の出入国在留管理局および出張所や外国人在留総合インフォメーションセンターに問い合わせることができます。

件数が最も多い東京管轄については電話番号を記載しておきますのでご参照ください。

なお、詳しくは出入国在留管理庁のホームページ（http://www.immi-moj.go.jp/index.html）で確認できます。

・東京出入国在留管理局―電話番号：０５７０―０３４２５９　所属部署番号（就労審査第一部門）：３１０

・外国人在留総合インフォメーションセンター―電話番号：０５７０―０１３９４（IP、PHS、海外：０３―５７９６―７１１２）

## 【図表 20　在留期間更新許可申請書　所属機関等作成用 1】

所属機関等作成用 1　M（「高度専門職（1号ハ）」・「高度専門職（2号）」・「経営・管理」）（変更申請の場合のみ）　在留期間更新・在留資格変更用 For extension or change of status

For organization, part 1 M ("Highly Skilled Professional(i)(c)" / "Highly Skilled Professional(ii)" (only in cases of change of status) / "Business Manager"

1 経営を行い又は管理に従事する外国人の氏名及び在留カード番号
Name and residence card number of foreign national who is to engage in management of business

(1)氏 名 Name ＿＿＿＿＿＿＿＿　(2)在留カード番号 Residence card number ＿＿＿＿＿＿＿＿

2 勤務先 Place of work

※(5)及び(10)については，主たる勤務場所について記載すること。 For sub-items (5) and (10) give the address and telephone number of employees of your principal place of employment.
※非営利法人の場合は(6)～(9)の記載は不要。 In cases of a nonprofit corporation, you are not required to fill in sub-items (6) to (9).

(1)名称 Name ＿＿＿＿＿＿＿＿　(2)法人番号(13桁) Corporation no. (combination of 13 numbers and letters) □□□□□□□□□□□□□

(3)支店・事業所名 Name of branch ＿＿＿＿＿＿＿＿

(4)事業内容 Type of work
○主たる事業内容を以下から選択して番号を記入(1つのみ) □
Select the main business type from below and write the corresponding number (select only one)
○他に事業内容があれば以下から選択して番号を記入(複数選択可) ＿＿＿＿
If there are other business types, select from below and write the corresponding number (multiple answers possible)

製造業 Manufacturing【①食料品 Food products　②繊維工業 Textile industry　③プラスチック製品 Plastic products　④金属製品 Metal products
⑤生産用機械器具 Industrial machinery and equipment　⑥電気機械器具 Electrical machinery and equipment　⑦輸送用機械器具 Transportationmachinery and equipment　⑧その他(　　) Others】

卸売業 Wholesale【⑨各種商品(総合商社等) Various products (general trading company, etc.)　⑩繊維・衣服等 Textile, clothing, etc.　⑪飲食料品 Food and beverages
⑫建築材料，鉱物・金属材料等 Building materials, mineral and metal materials etc.　⑬機械器具 Machinery and equipment　⑭その他(　　) Others】

小売業 Retail【⑮各種商品 Various products　⑯織物・衣服・身の回り品 Fabric, clothing, personal belongings
⑰飲食料品(コンビニエンスストア等) Food and beverages (convenience store, etc.)　⑱機械器具小売業 Machinery and equipment retailing　⑲その他(　　) Others】

学術研究，専門・技術サービス業 Academic research, specialized / technical services
【⑳学術・開発研究機関 Academic research, specialized / technical service industry　㉑専門サービス業(他に分類されないもの) Specialized service industry (not categorized elsewhere)
㉒広告業 Advertising industry　㉓技術サービス業(他に分類されないもの) Technical service industry (not categorized elsewhere)】

医療・福祉業 Medical / welfare services【㉔医療業 Medical industry　㉕保健衛生 Health and hygiene　㉖社会保険・社会福祉・介護事業 Social insurance / social welfare / nursing care】

㉗農林業 Agriculture　㉘漁業 Fishery　㉙鉱業，採石業，砂利採取業 Mining, quarrying, gravel extraction　㉚建設業 Construction　㉛電気・ガス・熱供給・水道業 Electricity, gas, heat supply, water supply

㉜情報通信業 Information and communication industry　㉝運輸・信書便事業 Transportation and correspondence　㉞金融・保険業 Finance / insurance　㉟不動産・物品賃貸業 Real estate / rental goods

㊱宿泊業 Accommodation　㊲飲食サービス業 Food and beverage service industry　㊳生活関連サービス(理容・美容等)・娯楽業 Lifestyle-related services (barber / beauty, etc.) / entertainment industry

㊴学校教育 School education　㊵その他の教育，学習支援業 Other education, learning support industry　㊶職業紹介・労働者派遣業 Employment placement / worker dispatch industry

㊷複合サービス事業(郵便局，農林水産業協同組合，事業協同組合(他に分類されないもの))
Combined services (post office, agriculture, forestry and fisheries cooperative association, business cooperative (not categorized elsewhere))

㊸その他の事業サービス業(速記・ワープロ入力・複写業，建物サービス業，警備業等)
Other business services (shorthand / word processing / copying, building services, security business, etc.)

㊹その他のサービス業(　　) Other service industries　㊺宗教 Religion　㊻公務(他に分類されないもの) Public service (not categorized elsewhere)

㊼分類不能の産業(　　) Unclassifiable industry

## 【図表 21　在留期間更新許可申請書　所属機関等作成用２】

所属機関等作成用 2　M（「高度専門職（1号ハ）」・「高度専門職（2号）」・「経営・管理」）（変更申請の場合のみ）　在留期間更新・在留資格変更用
For extension or change of status
For organization, part 2 M ("Highly Skilled Professional(i)(c)" / "Highly Skilled Professional(ii)" (only in cases of change of status) / "Business Manager"

(5)所在地
Address ______

電話番号
Telephone No. ______

(6)資本金 Capital ______ 円 Yen
(7)年間売上高(直近年度 Annual sales (latest year) ______ 円 Yen

(8)法人税納付額 Amount of corporate income tax ______ 円 Yen
(9)申請人の投資額 Amount of applicant's investment ______ 円 Yen

(10)常勤従業員数 Number of full-time employees ______ 名
（申請人が経営を開始する場合にのみ記載）(To be filled in only, if the applicant is to commence management of business)

(うち日本人，特別永住者又は「永住者」，「日本人の配偶者等」，「永住者の配偶者等」若しくは「定住者」の在留資格を有する者)
(Number of Japanese, Special Permanent Resident or foreign nationals who have the status of residence "Permanent Resident", "Spouse or Child of Japanese National", "Spouse or Child of Permanent Resident" and "Long Term Resident" among all full-time employees.) ______ 名

3 活動内容　Type of work
□ 経営者(例:企業の社長，取締役) Executive (ex. President, director of a company)
□ 管理者(例:企業の部長) Manager (ex. Division head of a company)

4 就労予定期間 Period of work ______ 年 Year ______ 月 Month
(申請人が管理者の場合にのみ記載) (Only fill in this section if the applicant is an administrator)

5 給与・報酬(税引き前の支払額) Salary/Reward (amount of payment before taxes) ______ 円 Yen（□ 年額 Annual □ 月額 Monthly）

6 職務上の地位(役職名) Position(Title) ______

7 事業所の状況　Office
(1)面積 Area ______ ㎡
(2)保有の形態 Type of possession　□ 保有 Ownership　□ 賃貸(家賃／月) Lease (rent / month) ______ 円 Yen

**以上の記載内容は事実と相違ありません。** I hereby declare that the statement given above is true and correct.
**勤務先又は所属機関名，代表者氏名の記名及び押印／申請書作成年月日**
Name of the organization and representative, and official seal of the organization ／ Date of filling in this form

印 Seal　　年 Year　　月 Month　　日 Day

**注意**　Attention
**申請書作成後申請までに記載内容に変更が生じた場合，所属機関等が変更箇所を訂正し，押印すること。**
In cases where descriptions have changed after filling in this application form up until submission of this application, the organization must correct the part concerned and press its seal on the correction.

# 第４章

# 経営管理ビザ申請書の実例でコツをつかもう！

【図表 22　貿易会社の在留資格変更許可申請理由書の例①】

法務大臣殿　　　　　　　　　　　　　　　　　〇〇〇〇年〇月〇〇日

## 在留資格変更許可申請理由書

氏名：〇〇

国籍：中国

生年月日：〇〇〇〇年〇月〇〇日

私は中国人の〇〇と申します。履歴書記載の通り、中国〇〇省の出身で〇〇〇〇年〇月に留学で来日しました。日本では日本語学校で日本語を学び、卒業後は〇〇大学の〇〇学部〇〇学科に進学し、〇〇〇〇年３月に同大学を卒業しまして、〇〇〇〇の学士を取得致しました。

大学時代に、中国国内で生産された商品により、健康に影響する事件が多く起きていることをよく耳にしました。そんな中、日本の製品というのは、世界でも安全性に優れ、質も高く、ジャパンブランドの人気の高さに気付き、納得致しました。同時に日本の物づくりの技術というのは世界に紹介していきたいという感情が芽生え、就職活動をやめて、この度海外の法人や個人を相手に販売をする輸出入貿易事業を行う株式会社〇〇〇〇を設立させていただきました。

社名である「〇〇〇〇」という意味は、国際的な市場の中で、長く栄えて生き続けるという意思で、株式会社栄生国際という名称にて設立を致しました。

主な商品としては中国でニーズの高いベビー用品、文具、日用品、等を取扱います。事業が順調にいきましたら、電子機器等も取り扱い、業務を拡大していきたいと考えております。株式会社〇〇〇〇を設立しました。

現在は中国の会社と提携し、日本で仕入れた商品を提携会社に卸しで販売していく予定で、安全性の高い日本製品を世界に紹介していきたいと思っております。会社名義での事務所も契約締結し、税務の各種届出も致しました。

【図表 22　貿易事業会社の在留資格変更許可申請理由書の例②】

今後はアリババドットコムや日本貿易振興企業のジェトロ等にも登録していく予定で、質の高い日本製品を世界に紹介していきたいと思っております。

当面は私１人の会社ですが、実績が上がり次第日本人従業員を２人ほど雇用する予定です。１日でも早く事業を軌道に乗せるため一層努力致します。

「経営・管理」資格の該当性と適合性

- 申請会社の本店事務所は申請人自宅とは異なる場所に設けて確保しており、法務省令が求める営業所を既に確保して要件を満たしているものと思料致します。

- 申請人の出資額は 500 万円です。500 万円につきましては、父から借りたお金になります。○月○日にまず○○○○円を振り込んでもらい、その後、○月○日にまた○○○○円を振り込んでもらいました（送金証明書に参照)。父からの援助なので正式に契約等は結んでおらず、契約書等もございませんが、事業が軌道に乗ってきましたらきちんと返済をしていこうと考えております。

- 初年度の申請人の役員報酬は、月額○○万円です。

以上の諸事情をご理解いただき、申請人である私○○の在留資格「経営・管理」の在留資格の変更をご許可いただきたく、何卒宜しくお願い申し上げます。

【図表 23　貿易事業会社の事業計画書の例①】

法務大臣　殿

株式会社○○○○

事　業　計　画　書

住所：東京都○○○○○○○○○○○○○○

代表取締役　○○　　印

【図表 23　貿易事業会社の事業計画書の例②】

## 事業目的

1．国際貿易業務
2．インターネット等のネットワークシステムを利用した通信販売業
3．古物営業法に基づく古物商
4．外国語の翻訳及び通訳業
5．前各号に附帯又は関連する一切の事業

## サービス内容

### ・海外輸出入貿易事業

２０１５年１０月、中国共産党第１８回中央委員会第５回会議では夫婦の一方が一人っ子の場合、２人目の子供の出産が認められる「単独二孩」の政策実施が発表された。従って、中国でのベビー用品や子供用品のニーズが増えると予測される。そのため、子供用の学生かばんやベビー用品を中心に取り扱っていく。

中国の親たちも安心して使用できることを特色とするため、品質では世界でも有名な日本製品を日本国内で仕入れ、中国に輸出し、現地の法人や個人に対して販売を行っていく。

### ・取扱予定商品一例

・学生かばん（一年生～六年生）

桃色

レッド

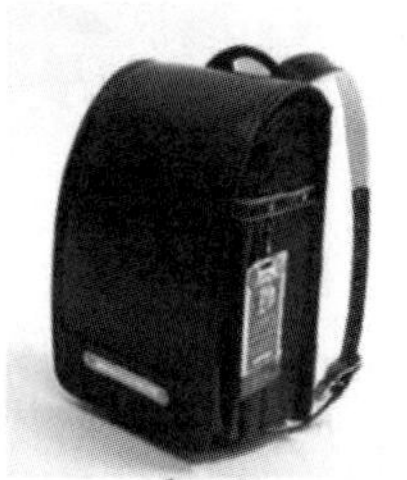
ブラック

【図表 23　貿易事業会社の事業計画書の例③】

・紙おむつ

・衛生用品

・環境に優しいチョーク

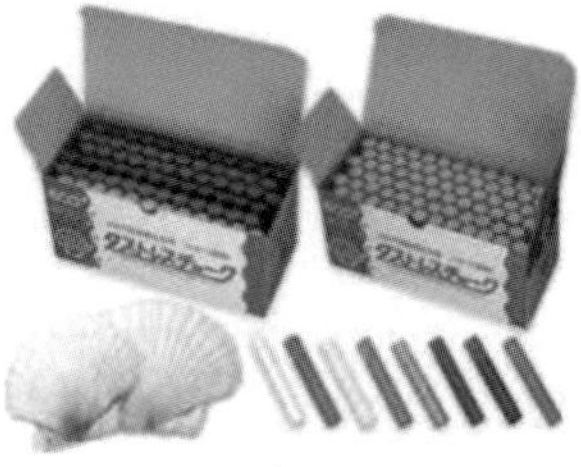

・環境に優しい紙

【図表 23　貿易事業会社の事業計画書の例④】

**集客方法**

ＳＮＳを活用して中国向けのプロモーションを実施する。具体的には、Wechat（微信）と Weibo（微博）を活用する。中国最大のＳＮＳである Wechat（微信）の月間アクティブユーザーは７．６億人であり、Weibo（微博）は２．６億人になるので、弊社の認知度を高めることができると考えています。

しかも、多くの中国人が商品の調査・選別・消費で活用しており、個人客に情報を届けるマーケティングツールの手段としても注目されている。そして、WEB 広告やアフィリエイトも使い集客する。メルマガに登録してもらいリピーターを増やし、メルマガには割引特典を付けるなどしてお客様の購買意欲を高めることにより集客する。

また、中国での人脈や取引先からの紹介で、随時顧客を増やしていくことも考えている。ビジネス交流展示会等に出席し、人脈作りを広げ、見込み客を増加させていく。さらにゆくゆくは、弊社のホームページを作成し、WEB 広告や SEO 対策を積極的に行い、ホームページアクセス数を増やす。法人の顧客に対してはホームページから電話もしくはメールを受けた後、ヒアリングし、見積もり等を提示する。

個人の顧客に対しては、あらかじめホームページ上に値段を提示しておく予定である。また；見込み客に対しテレアポによる営業もあわせて行うことも考えている。

**特色**

日本で正規品（新品）を入荷し、領収書と保証書と税関の証明などを提供して、高価品を購入したお客さんを安心させる。価格が少し高くなるが、品質が良く保障がある商品を販売することを弊社の特色としていく。

また、高品質を売りにするために商品を日本で仕入れ、季節ごとのセールやポイントでの割引特典なども積極的に取り入れる。

日中両国の商品の特色を活かし、国際ビジネスをツールとし、日中両国の交流、経済発展、社会貢献を目指していく。

## 【図表 23　貿易事業会社の事業計画書の例⑤】

**取引先（販売先）**

1．○○○○有限公司
https://・・・・・・・・・.com/

2．○○○○服務中心

3．○○○○FASHION

他、現在検討中

**事業の進捗**

| | |
|---|---|
| 20○○ 年５月１日 | 株式会社○○○○<br>資本金５００万円 |
| 20○○ 年４月３０日 | 事務所契約<br>住所：東京都○○○○○○○○○○○○○○○○○ |
| 20○○ 年５月１１日 | 税務署関係書類届出 |
| 20○○ 年７月 | 営業開始 |

## スタッフ構成

現在の人員

| ○○○○年○月○日現在 |
|---|
| 代表取締役：○○（５００万円出資、創業者）<br>担当：経営、管理業務、マーケティング |

**今後の人員計画**

現在は代表者１人の会社だが、今後日本人の従業員２人を雇い、私は中国の市場開拓業務と代表業務を兼任し、WEB 担当の従業員１人と事務担当の従業員１人、計３人で運営していきたいと考えている。

【図表 24　貿易事業会社の月次損益計画表の例】

月次損益計画表(年間)

（単位：円）

| | | 開業月 | 8月 | 9月 | 10月 | 11月 | 12月 | 1月 | 2月 | 3月 | 4月 | 5月 | 6月 | 年間合計 |
|---|---|---|---|---|---|---|---|---|---|---|---|---|---|---|
| 売上高 | | 300,000 | 500,000 | 900,000 | 1,200,000 | 1,400,000 | 1,700,000 | 2,100,000 | 2,500,000 | 2,900,000 | 3,200,000 | 3,600,000 | 4,000,000 | 24,300,000 |
| 売上原価 | | 120,000 | 200,000 | 360,000 | 480,000 | 560,000 | 680,000 | 840,000 | 1,000,000 | 1,160,000 | 1,280,000 | 1,440,000 | 1,600,000 | 9,720,000 |
| 売上総利益 | | 180,000 | 300,000 | 540,000 | 720,000 | 840,000 | 1,020,000 | 1,260,000 | 1,500,000 | 1,740,000 | 1,920,000 | 2,160,000 | 2,400,000 | 14,580,000 |
| 経費 | 人件費 | 0 | 0 | 0 | 0 | 0 | 180,000 | 180,000 | 180,000 | 180000 | 360,000 | 360,000 | 360,000 | 1,800,000 |
| | 家賃 | 84,000 | 84,000 | 84,000 | 84,000 | 84,000 | 84,000 | 84,000 | 84,000 | 84,000 | 84,000 | 84,000 | 84,000 | 1,008,000 |
| | 広告宣伝費 | 0 | 10,000 | 12,000 | 12,000 | 12,000 | 12,000 | 24,000 | 24,000 | 24,000 | 24,000 | 24,000 | 24,000 | 202,000 |
| | 消耗品費 | 10,000 | 12,000 | 14,000 | 16,000 | 18,000 | 20,000 | 22,000 | 24,000 | 26,000 | 28,000 | 30,000 | 32,000 | 252,000 |
| | 通信費 | 10,000 | 10,000 | 10,000 | 10,000 | 10,000 | 10,000 | 10,000 | 10,000 | 10,000 | 10,000 | 10,000 | 10,000 | 120,000 |
| | 出張費 | 30,000 | 30,000 | 30,000 | 50,000 | 50,000 | 50,000 | 50,000 | 50,000 | 50,000 | 70,000 | 70,000 | 70,000 | 600,000 |
| | 役員報酬 | 250,000 | 250,000 | 250,000 | 250,000 | 250,000 | 250,000 | 250,000 | 250,000 | 250,000 | 250,000 | 250,000 | 250,000 | 3,000,000 |
| | | | | | | | | | | | | | | |
| | | | | | | | | | | | | | | |
| | | | | | | | | | | | | | | |
| 経費合計 | | 384,000 | 396,000 | 400,000 | 422,000 | 424,000 | 606,000 | 620,000 | 622,000 | 624,000 | 826,000 | 828,000 | 830,000 | 6,982,000 |
| 営業利益 | | −204,000 | −96,000 | 140,000 | 298,000 | 416,000 | 414,000 | 640,000 | 878,000 | 1,116,000 | 1,094,000 | 1,332,000 | 1,570,000 | 7,598,000 |

※ 売上原価は業界平均値の4割に設定しております（送料はお客様のほうが負担する）。

【図表 25　システム開発会社の在留資格変更許可申請理由書の例①】

法務大臣　殿

在留資格変更許可申請理由書

氏名：〇〇〇

国籍：中国

生年月日：〇〇〇〇年〇月〇日

私は中国籍の〇〇〇と申します。履歴書に記載の通り、〇〇〇〇年〇月に中国の大学を卒業後、ソフトウェア開発会社に就職しました。その後転職をして営業事務の仕事に携わりましたが、〇〇〇〇年〇月に夫が日本に行くことになったことを機に私も日本に行く決意をし、〇〇〇〇年〇月に退職致しました。翌月の〇月〇日に、家族滞在の在留資格で来日させていただき、来日後は家事を中心に夫を支え、夫婦で仲睦まじく生活をしてきました。

私は中国の大学（〇〇〇〇大学）でコンピューター科学技術を専攻していた関係で、ＩＴ事業に日ごろから関心がありました。そんな折、中国にいるアメリカ国籍の友人（〇〇〇氏）と現在のＩＴ業界について意見を交わしていた際に、気づいたことがありました。それは、コンピューター技術というのは日々進化し発展を遂げ変化していきます。さらに現在では仕事上でパソコンをツールとして使用していない割合のほうが圧倒的に少ない時代になりました。しかし、ＩＴ事業はインフラと化し、必要不可欠なものになっているにも関わらず、うまく扱えていない企業や個人が多いということです。そういう企業や個人にＩＴ技術を広め、より業務効率化や顧客満足を得られる事業を展開していきたいと考え、友人（〇〇〇氏）と一緒に〇〇〇株式会社を立ち上げることに致しました。

しかし、共同代表に就任した〇〇〇氏は米国で別の会社を経営しており、

【図表 25　システム開発会社の在留資格変更許可申請理由書の例②】

日本での会社運営に参加することが難しい旨を言われ、よく話し合った末に役員を辞任し、彼が保有している株式を買取りまして、私１人で経営していくことを決意致しました。夫にもその旨を伝えたところ、夫も社員として手伝っていただけることになり、より盤石な体制でスタートすることができます。

今後は様々なシステム等を制作・コンサルティングやソリューション販売も予定しております。制作したシステムに特許の実地権を設定することも考えております。当面は私１人と優秀な社員１名の会社ですが、業績が上がり次第従業員を２人ほど雇用する予定です。１日でも早く事業を軌道に乗せるため一層努力致します。

「経営・管理」資格の該当性と適合性

１、　申請会社の本店事務所は申請人自宅とは異なる場所に設けて確保してあり、法務省令が求める営業所を既に確保して要件を満たしているものと思料致します。

２、　申請人の出資額は５６０万円です。５６０万円につきましては、夫婦で貯めたお金です。

３、　初年度の申請人の役員報酬は月額２０万円です。

以上の諸事情をご理解いただき、申請人である私○○○の「経営・管理」の在留資格の変更をご許可いただきたく、何卒宜しくお願い申し上げます。

【図表 26　システム開発会社の事業計画書の例①】

法務大臣　殿

○○○株式会社

# 事　業　計　画　書

○○県○○市○○○○○○○○○○

ＴＥＬ：○○－○○○－○○○○

ＨＰ：http://www.○○○○○.com

代表取締役　○○○　　印

【図表 26　システム開発会社の事業計画書の例②】

## 事業概要

1．コンピュータシステム及びソフトウェアの企画、制作、開発、販売、賃貸借、保守及びコンサルティング
2．電子商取引のためのハードウェア及び適用業務プログラムの設計、開発、製造、販売企画、販売、リース及び保守業務
3．情報処理システムの設計、開発及び提供業務並びにそれらのコンサルティング業務
4．データベースの企画、設計、開発、販売及び提供業務並びにデータベース構築のコンサルティング
5．コンピュータシステムを利用した情報ネットワークによる情報処理及び情報提供業務
6．ネットワーク管理システムの開発、保守及びコンサルティング業務

**会社 HP**

http://www. ○○○○○○.com

ホームページのスクリーンショット

## 【図表 26　システム開発会社の事業計画書の例③】

### サービス内容

#### ・ＩＴ事業

SIer として、主に WEB システム開発、管理システム開発、アプリ開発、SEO 対策、EC サイト構築等をする。データベースを構築することで、様々なデータ活用を行うことが可能になる。日々蓄積されて行く膨大なデータも、どのような目的で、何に使いたいのかといった課題や目的を明確にしておくことで最適なデータベース構築とシステム・ソフトウェア開発をご提案する。

また、オフショア開発の際の BSE としての役割も担い、日本と中国との架け橋になる。

### 用語説明

・SIer　:SIer とは、顧客の業務内容を分析し、問題に合わせた情報システムの企画、構築、運用などの業務を一括して請け負う業者のことで、System Integrator（システム　インテグレーター）の略である。

・ＥＣサイト　:ＥＣサイトとは、自社の商品やサービスを、インターネット上に置いた独自運営のウェブサイトで販売するサイトのことである。ＥＣとは Electronic Commerce（エレクトロニック　コマース＝電子商取引）の略である。

・BSE　:BSE とは、システム開発やソフトウェア開発を人件費の安い国の企業や事業所に発注するオフショア開発において、現地の受注側チーム内と日本側との橋渡し役を務めるシステムエンジニアのことで、Bridge System Engineer（ブリッジ　システム　エンジニア）の略である。

・オフショア開発　:オフショア開発とは SIer が、システム開発・運用管理などを海外の事業者や海外子会社に委託することである。

### 特色

## 【図表 26　システム開発会社の事業計画書の例④】

オフショア開発では、クライアントが日本語でのコミュニケーションがとれるかどうかということ、外国企業との契約内容について、技術力が備わっているのかという点を不安視されることが多いので、弊社では日本法人での契約にし、日本語で対応することによりクライアントの不安を取り除き安心して契約してもらえる。また正式な依頼の前に 2 週間の無料期間を設け、この期間にクライアントから簡単な依頼を無料で受けることにより、仕事の流れや仕事の成果を実際に見て判断してもうことにより、クライアントも安心して弊社と契約することができる。

また、顧客に満足していただけるシステムを作ることを目標に、以下の開発工程に特徴を有しています。

・コンサルティング
今までの業務経験や戦略会議を通じて培った豊富な経験

・設計
専門分野の知識を活かし、顧客の特殊な要求に柔軟に応じる。

・開発
Java、C、NET、COBOL など伝統的な言語に精通している。

Struts、Spring、Seaser などの従来のフレーワークに理解を深めている。

各大手ＩＴベンダー社に特有な拡張フレームワークに対する知識も有している。

・テスト
テスト計画書、仕様書、障害管理表をプロセス管理している。

一連の業務の流れを想定し、テストシナリオを作成する。

・保守
設計、開発段階に蓄積した知識、ノウハウを利用する。

・プロジェクト管理
ユーザーが求める機能を満足する品質、予算、期日をコントロールする。
潜在リスクの徹底分析によりプロジェクトの円滑な進行
会議のテーマ、目的を明確に定義し、展開周知事項及びｺﾐｭﾆｹｰｼｮﾝの向上

【図表26　システム開発会社の事業計画書の例⑤】

**契約までの流れ**

① 問い合わせ
　※問合わせフォームまたは電話でお問合わせしていただきます
　↓
② 見積もり
　※無料見積もり及び制作方法の提案をさせていただきます。
　↓
③ 2週間の無料期間のサービス
　※簡単なご依頼を受け、流れや成果をみて判断していただきます。
　↓
④ 本契約
　※日本法人での契約となります。
　↓
⑤ 制作、随時打ち合わせ
　※すべて日本語にて対応しています。
　↓
⑥ 納品
　※説明書や納品書もすべて日本語となります。

## 集客方法

WEB広告やSEO対策を積極的に行い、ホームページアクセス数を増やす。法人の顧客に対してはホームページから電話もしくはメールを受けた後、ヒアリングし、見積もり等を提示する。個人の顧客に対しては、あらかじめホームページ上に値段を提示しておく。

また、今まで取引のあったクライアントから新たに計画しているアプリやソフトウェアがないかを問合わせしたり、クライアントの相談に乗りながら新たに弊社で開発ができることはないかを探っていき、提案していく。また、新たな取引先を紹介してもらう。

【図表 26　システム開発会社の事業計画書の例⑥】

## 事業の進捗

| | | |
|---|---|---|
| ○○○○年 | ○月○日 | 会社設立<br>住所：○○県○○市○○○○○○○ |
| | ○月○日 | 事務所契約<br>住所：○○県○○市○○○○○○○<br>契約期間：○年間<br>賃料：○○○○○○円【税込】 |
| | ○月○○日 | 役員及び本店移転登記 |
| | ○月○○日 | 税務署関係書類届出 |
| | ○月 | 営業開始 |

## スタッフ構成

**現在の人員**

| ○○○○年○月○日現在 |
|---|
| 代表取締役：○○（５００万円出資、創業者）<br>担当：代表取締役<br><br>社員：○○<br>担当：ＳＥ業務 |

## 今後の人員計画

現在は代表者１人と優秀な社員１名の会社だが、今後は経理やクライアントへの対応業務を担当する社員と開発・制作業務を担当する社員を１人ずつ、計２人の社員を雇用する予定である。社員を雇用することで意思の疎通が容易にでき、よりスムーズに業務を進めることができる。

【図表27　システム開発会社の月次損益計画表の例】

月次損益計画表(年間)

(単位:円)

| | | 9月 | 10月 | 11月 | 12月 | 1月 | 2月 | 3月 | 4月 | 5月 | 6月 | 7月 | 8月 | 年間合計 |
|---|---|---|---|---|---|---|---|---|---|---|---|---|---|---|
| 売上高 | | 500,000 | 700,000 | 900,000 | 1,100,000 | 1,300,000 | 1,500,000 | 1,700,000 | 2,000,000 | 2,300,000 | 2,600,000 | 3,000,000 | 3,500,000 | 21,100,000 |
| 売上原価 | | 0 | 0 | 0 | 0 | 0 | 0 | 0 | 0 | 0 | 0 | 0 | 0 | 0 |
| 売上総利益 | | 500,000 | 700,000 | 900,000 | 1,100,000 | 1,300,000 | 1,500,000 | 1,700,000 | 2,000,000 | 2,300,000 | 2,600,000 | 3,000,000 | 3,500,000 | 21,100,000 |
| 経費 | 人件費 | 550,000 | 550,000 | 550,000 | 550,000 | 550,000 | 550,000 | 550,000 | 550,000 | 550,000 | 550,000 | 550,000 | 550,000 | 6,600,000 |
| | 家賃 | 75,600 | 75,600 | 75,600 | 75,600 | 75,600 | 75,600 | 75,600 | 75,600 | 75,600 | 75,600 | 75,600 | 75,600 | 907,200 |
| | 水道光熱費 | 10,000 | 15,000 | 20,000 | 20,000 | 20,000 | 25,000 | 25,000 | 25,000 | 25,000 | 30,000 | 30,000 | 30,000 | 275,000 |
| | 広告宣伝費 | 20,000 | 24,000 | 28,000 | 32,000 | 36,000 | 40,000 | 44,000 | 48,000 | 52,000 | 56,000 | 60,000 | 64,000 | 504,000 |
| | 消耗品費 | 20,000 | 22,000 | 24,000 | 26,000 | 28,000 | 30,000 | 32,000 | 34,000 | 36,000 | 38,000 | 40,000 | 42,000 | 372,000 |
| | 通信費 | 20,000 | 20,000 | 20,000 | 20,000 | 20,000 | 25,000 | 25,000 | 25,000 | 25,000 | 30,000 | 30,000 | 30,000 | 290,000 |
| | 役員報酬 | 200,000 | 200,000 | 200,000 | 200,000 | 200,000 | 200,000 | 200,000 | 200,000 | 200,000 | 200,000 | 200,000 | 200,000 | 2,400,000 |
| | | | | | | | | | | | | | | |
| | | | | | | | | | | | | | | |
| | | | | | | | | | | | | | | |
| | | | | | | | | | | | | | | |
| 経費合計 | | 895,600 | 906,600 | 917,600 | 923,600 | 929,600 | 945,600 | 951,600 | 957,600 | 963,600 | 979,600 | 985,600 | 991,600 | 11,348,200 |
| 営業利益 | | −395,600 | −206,600 | −17,600 | 176,400 | 370,400 | 554,400 | 748,400 | 1,042,400 | 1,336,400 | 1,620,400 | 2,014,400 | 2,508,400 | 9,751,800 |

【図表 28　外国料理店経営の在留資格認定証明書交付申請理由書の例①】

法務大臣　殿

在留資格認定証明書交付申請理由書

氏名：○○

国籍：中国

生年月日：　○○○○年○○月○○日

私は中国人の○○と申します。履歴書に記載の通り、本国で高校・短期大学を卒業しました。短期大学では財務会計を学び、２０１０年からの約５年間○○飯店の飲食営業部で経営管理の計画や方法を決定し改善を促したり、経営戦略を練るといった業務に従事させていただきました。

責任ある立場にいたため、以前より店舗の運営という経営者側の業務に興味がございました。そんな折、日本に住んでいる姉の○○からの紹介もあり、○○県○○市にある中華料理店を居抜きで貸していただける話がありました。そこで、短期滞在にて昨年の６月から３ケ月滞在をして調査をしたところ、立地もよく大変素晴らしい物件でしたので、日本で飲食店を経営していくことを決めました。居抜き物件でもありますので、以前からの固定客を取り込むこともできると考えております。

日本で飲食店を経営していくために、２０１６年１２月に株式会社○○を設立し、同社の代表取締役に就任いたしました。現在は日本での会社設立のため、私と姉の○○が共同で代表取締役になっており、○○が一時的に店舗の運営をして管理をしておりますが、私が「経営・管理」の在留資格を取得し来日いたしましたら、速やかに○○は代表取締役を辞任し、私１名が代表取締役になる予定です。姉○○にはキッチンリーダーとして業務を続けてもらい、その他従業員も４名ほどおり、来日後は私が代表業務としてマーケティングやマネジメント業務に専念して売上等を伸ばしていきたいと考えております。

先ずは、従業員の教育や管理を徹底し、安定した組織作りをしていき、○○株式会社を軌道に乗せるため、努力していく所存でございます。

【図表 28　外国料理店経営の在留資格認定証明書交付申請理由書の例②】

「経営・管理」資格の該当性と適合性

１、　申請会社の本店事務所は申請人自宅とは異なる場所に設け、店舗住所の２階を事務所として確保しており、法務省令が求める営業所を既に確保して要件を満たしているものと思料致します。

２、　申請人の出資額は〇〇万円です。出資額の〇〇万円は申請人の姉である〇〇からお借りしました。契約書もございますので、事業を早く軌道に乗せ、１０年以内には全額返済する予定でございます。なお、姉の〇〇は永住で日本に滞在しております。

３、　初年度の申請人の役員報酬は、月額２０万円です。

以上の諸事情をご理解いただき、申請人である私、〇〇の在留資格「経営・管理」の在留資格認定証明書をご交付いただきたく、何卒宜しくお願い申し上げます。

【図表 29　外国料理店経営の事業計画書の例①】

作成日：〇〇〇〇年〇月〇日

法務大臣　殿

# 株式会社〇〇〇

## 事　業　計　画　書

〇〇県〇〇市〇〇〇〇〇〇〇〇〇

TEL：〇〇─〇〇─〇〇〇〇

代表取締役　〇〇〇　㊞

【図表 29　外国料理店経営の事業計画書の例②】

## 1. 事業概要

1）飲食店の経営
　　中華料理店「中華料理〇〇」の経営

## 2. 対象顧客

〇〇県南〇〇市は、夏はキャンプ・川釣り、冬は温泉・スキーと 1 年中観光客が訪れます。特に店舗から車で２０分のところに位置する〇〇〇公園内にある日本最大級の〇〇群生地（約７ヘクタール）には〇〇が自生しており、多くの観光客が楽しんでおります。地元の方以外にもこうした観光客を顧客ターゲットとしております。

店舗所在地の地図

## 3. 店舗コンセプト

お客様との「出会い」とその「瞬間」を大切にし、スタッフが一人ひとりのお客様の好みや状況に合わせ、心を込めたおもてなし料理を提供します。〇〇県〇〇市は農家の皆さんが丹精込めて育てたお米がおいしいので、地元のお米を中華料理にも利用し他では味わえない中国料理を味わっていただきます。また、自社で遊休地を利用した栽培及び地元農家との契約栽培で中国野菜を栽培し中華料理に付加価値をつけることも考えている。

本店舗は居抜き店舗で、そのまま引き継ぎをさせていただきました。１戸建て

【図表 29　外国料理店経営の事業計画書の例③】

でログハウス風な建物ですので車で来たお客様には目を引く作りとなっております。私を含め、スタッフ一同社交性・笑顔でお客様をお迎えできるように社員教育を徹底していきたいと考えております。

店舗外観写真

**4. 営業時間**

観光客も訪れるためランチタイムから営業します。
月曜日～土曜日　１１：００～２２：００
水曜日　定休日

**5. 集客方法**

１、　道路の近くにある店舗なので、店の外に看板や提灯など宣伝物を設置し、通る人が見やすいようにしていく。
２、　無料の SNS やブログで認知度を高める。中国版のラインである微信や Facebook などで拡散してお客様を獲得する。
３、　ネット上にある無料のテンプレートを使って、ホームページを作成してインターネットによる集客も検討している。
４、　地元紙・観光ガイドへの広告の掲載も検討している。また、一度ご来店いただいた方には、割引券をお渡しする。

【図表 29　外国料理店経営の事業計画書の例④】

## 6. 事業の進捗

○○○○年○月○日　株式会社○○○設立
○○県○○市○○○○○○○○○○○○○○○

○○○○年○月○日　店舗契約
賃料：○○○○円
※保証金○○○○円
家屋面積：1階○○㎡（店舗）と2階○○㎡（事務所）
賃貸借期間：令和○○年○月○日から令和○○年○月○日

○○○○年○月○日　飲食店営業許可　取得　（○○県○○号）

## 7. コンプライアンス

中国人スタッフを雇った場合については、在留資格の管理、勤務時間の管理を徹底する。正社員の社内教育を徹底する。

## 8. 人員計画

### 1）現在の人員

| |
|---|
| ○○○○年 ○月 ○ 日現在 |
| 代表取締役：○○○（○○○万円出資、創業者）<br>担当：会社代表（中華料理店経営、人事・労務管理その他） |
| 正社員：1名 |
| アルバイト×4名（ホール、キッチン、接客業務等） |

### 2）今後の人員計画

| 現在 | ２０○○年５月 | ２０○△年１月 |
|---|---|---|
| 会社代表1名<br>＋<br>アルバイト4名 | 会社代表1名<br>＋<br>正社員1名<br>アルバイト4名<br>※ホールサービス兼キッチンスタッフ（時給1000円） | 会社代表1名<br>＋<br>正社員2名<br>アルバイト4名 |

## 【図表 30　外国料理店経営の月次損益計画表の例】

月次損益計画表（1店舗）

### 月次損益計画表（年間）

（単位：円）

| | | | 5月 | 6月 | 7月 | 8月 | 9月 | 10月 | 11月 | 12月 | 1月 | 2月 | 3月 | 4月 | 年間合計 |
|---|---|---|---|---|---|---|---|---|---|---|---|---|---|---|---|
| **売上高** | | ①=②x③x④ | **3,120,000** | **3,120,000** | **3,120,000** | **3,120,000** | **3,120,000** | **3,120,000** | **3,120,000** | **4,160,000** | **4,160,000** | **4,160,000** | **4,160,000** | **4,160,000** | **42,640,000** |
| | 単価 | ② | 800 | 800 | 800 | 800 | 800 | 800 | 800 | 800 | 800 | 800 | 800 | 800 | |
| | 食数 | ③ | 150 | 150 | 150 | 150 | 150 | 150 | 150 | 200 | 200 | 200 | 200 | 200 | |
| | 営業日数 | ④ | 26 | 26 | 26 | 26 | 26 | 26 | 26 | 26 | 26 | 26 | 26 | 26 | |
| 売上原価 | | ⑤=①x40% | 1,248,000 | 1,248,000 | 1,248,000 | 1,248,000 | 1,248,000 | 1,248,000 | 1,248,000 | 1,664,000 | 1,664,000 | 1,664,000 | 1,664,000 | 1,664,000 | 17,056,000 |
| **売上総利益** | | ⑥=①-⑤ | **1,872,000** | **1,872,000** | **1,872,000** | **1,872,000** | **1,872,000** | **1,872,000** | **1,872,000** | **2,496,000** | **2,496,000** | **2,496,000** | **2,496,000** | **2,496,000** | **25,584,000** |
| 経費 | 人件費 | | 588,000 | 588,000 | 588,000 | 588,000 | 588,000 | 588,000 | 588,000 | 588,000 | 768,000 | 768,000 | 768,000 | 768,000 | 7,776,000 |
| | 家賃 | | 40,000 | 40,000 | 40,000 | 40,000 | 40,000 | 40,000 | 40,000 | 40,000 | 40,000 | 40,000 | 40,000 | 40,000 | 480,000 |
| | 水道光熱費 | | 50,000 | 50,000 | 50,000 | 50,000 | 50,000 | 50,000 | 50,000 | 60,000 | 60,000 | 60,000 | 60,000 | 60,000 | 650,000 |
| | 広告宣伝費 | | 0 | 0 | 0 | 25,000 | 25,000 | 25,000 | 25,000 | 25,000 | 25,000 | 25,000 | 25,000 | 25,000 | 225,000 |
| | 消耗品費 | | 40,000 | 40,000 | 40,000 | 40,000 | 40,000 | 40,000 | 40,000 | 50,000 | 50,000 | 50,000 | 50,000 | 50,000 | 530,000 |
| | 通信費 | | 10,000 | 10,000 | 10,000 | 10,000 | 10,000 | 10,000 | 10,000 | 20,000 | 20,000 | 20,000 | 20,000 | 20,000 | 170,000 |
| | 役員報酬 | | 200,000 | 200,000 | 200,000 | 200,000 | 200,000 | 200,000 | 200,000 | 200,000 | 200,000 | 200,000 | 200,000 | 200,000 | 2,400,000 |
| | | | | | | | | | | | | | | | 0 |
| | | | | | | | | | | | | | | | 0 |
| | | | | | | | | | | | | | | | 0 |
| | | | | | | | | | | | | | | | 0 |
| | | | | | | | | | | | | | | | 0 |
| | | | | | | | | | | | | | | | 0 |
| | | | | | | | | | | | | | | | 0 |
| | | | | | | | | | | | | | | | 0 |
| | | | | | | | | | | | | | | | 0 |
| 経費合計 | | ⑦ | 928,000 | 928000 | 928000 | 953000 | 953000 | 953000 | 953000 | 983000 | 1163000 | 1163000 | 1163000 | 1163000 | 12,231,000 |
| **営業利益** | | ⑧=⑥-⑦ | **944,000** | **944,000** | **944,000** | **919,000** | **919,000** | **919,000** | **919,000** | **1,513,000** | **1,333,000** | **1,333,000** | **1,333,000** | **1,333,000** | **13,353,000** |

（注）
①人件費は、来日後の正社員【〇〇〇】→18万、アルバイト1名あたり→時給850円×6時間で計算。
申請人【〇〇〇】は〇〇〇〇年〇月に来日予定であり、5月からの予定損益計算表として算出

②売上単価は、メニュー表平均単価の800円で計算。
実際にはトッピングやおつまみ・ドリンク等をあわせると、単価は上げても良いかと考えるが、食数の増減を考え、あえて上記の設定で計算した。

【図表31　株主名簿のサンプル】

株主（出資者）名簿

令和　　年　　月　　日現在

法人名　　　　　　　　　　　㊞

代表取締役氏名

| 氏名又は名称 | 住所 | 持株数または出資額 | 適用 |
|---|---|---|---|
| | | | |
| | | | |
| | | | |
| | | | |
| | | | |
| | | | |
| | | | |

【図表 32　法定調書合計表①】

FE0103

# 令和□□年分 給与所得の源泉徴収票等の法定調書合計表

（所得税法施行規則別表第５(8)、５(24)、５(25)、５(26)、６(1)及び６(2)関係）

署番号

【平成28年1月1日以後提出用】

提出用

税務署受付印　平成　年　月　日提出　税務署長　殿

事業種目　整理番号

提出者：住所又は所在地　電話（　－　－　）／（フリガナ）／氏名又は名称／個人番号又は法人番号(注)（個人番号の記載に当たっては、左端を空欄にし、ここから記載してください。）／（フリガナ）／代表者氏名印

調書の提出区分　新規=1 追加=2 訂正=3 無効=4

提出媒体　1 給与　2 退職　3 報酬　4 使用　5 譲受　6 斡旋

（フリガナ）作成担当者

本店等一括提出　翌年以降送付　有　否

作成税理士署名押印　電話（　－　－　）　税理士番号

## 1　給与所得の源泉徴収票合計表（375）

| 区分 | 人員 | うち、源泉徴収税額のない者 | 支払金額 | 源泉徴収税額 |
|---|---|---|---|---|
| Ⓐ俸給、給与、賞与等の総額 | | 人 | 円 | 円 |
| Ⓑ Ⓐのうち、丙欄適用の日雇労務者の賃金 | | | | |
| Ⓒ源泉徴収票を提出するもの | | | | |
| 災害減免法により徴収猶予したもの | 人員 | 猶予税額 | （摘要） | |

## 2　退職所得の源泉徴収票合計表（316）

| 区分 | 人員 | 支払金額 | 源泉徴収税額 | （摘要） |
|---|---|---|---|---|
| Ⓐ退職手当等の総額 | | | | |
| Ⓑ Ⓐのうち、源泉徴収票を提出するもの | | | | |

## 3　報酬、料金、契約金及び賞金の支払調書合計表（309）

| 区分 | 人員 | 延人員 | 支払金額 | 源泉徴収税額 |
|---|---|---|---|---|
| 所得税法第204条に規定する報酬又は料金等：原稿料、講演料等の報酬又は料金（1号該当） | | | | |
| 弁護士、税理士等の報酬又は料金（2号該当） | | | | |
| 診療報酬（3号該当） | | | | |
| 職業野球選手、騎手、外交員等の報酬又は料金（4号該当） | | | | |
| 芸能等に係る出演、演出等の報酬又は料金（5号該当） | | | | |
| ホステス等の報酬又は料金（6号該当） | | | | |
| 契約金（7号該当） | | | | |
| 賞金（8号該当） | | | | |
| Ⓐ計 | | | | |
| Ⓑ Ⓐのうち、支払調書を提出するもの | | | | |

| 区分 | 件数 | 支払金額 | 源泉徴収税額 | （摘要） |
|---|---|---|---|---|
| Ⓒ Ⓐのうち、所得税法第174条第10号に規定する内国法人に対する賞金 | | | | |
| 災害減免法により徴収猶予したもの | 人員 | 猶予税額 | | |

## 4　不動産の使用料等の支払調書合計表（313）

| 区分 | 人員 | 支払金額 |
|---|---|---|
| Ⓐ使用料等の総額 | 人 | 円 |
| Ⓑ Ⓐのうち、支払調書を提出するもの | | |

（摘要）

## 6　不動産等の売買又は貸付けのあっせん手数料の支払調書合計表（314）

| 区分 | 人員 | 支払金額 |
|---|---|---|
| Ⓐあっせん手数料の総額 | 人 | 円 |
| Ⓑ Ⓐのうち、支払調書を提出するもの | | |

（摘要）

## 5　不動産等の譲受けの対価の支払調書合計表（376）

| 区分 | 人員 | 支払金額 |
|---|---|---|
| Ⓐ譲受けの対価の総額 | | |
| Ⓑ Ⓐのうち、支払調書を提出するもの | | |

（摘要）

税務署整理欄　通信日付印　確認印　提出年月日　身元確認　区分　A B C D E F G H

○提出媒体欄には、法定調書の種類別にコードを記載してください。（電子＝14　FD＝15　MO＝16　CD＝17　DVD＝18　書面＝30　その他＝99）

法平成27年分以前の合計表を作成する場合には、「個人番号又は法人番号」欄に何も記載しないでください。

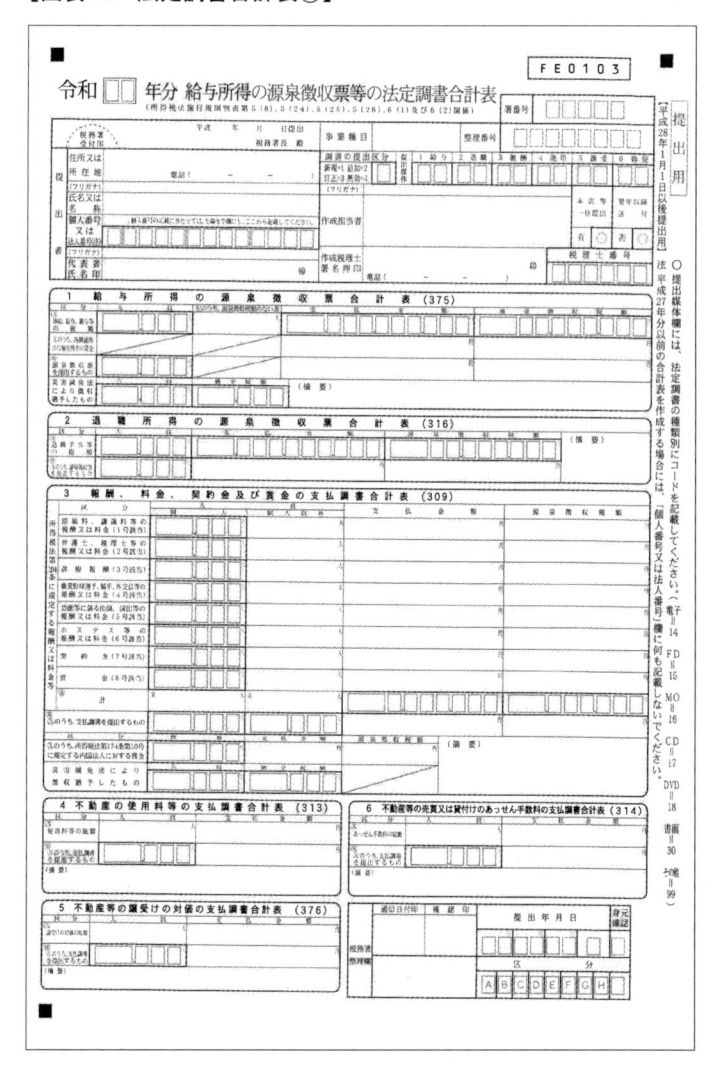

【図表 32　法定調書合計表②】

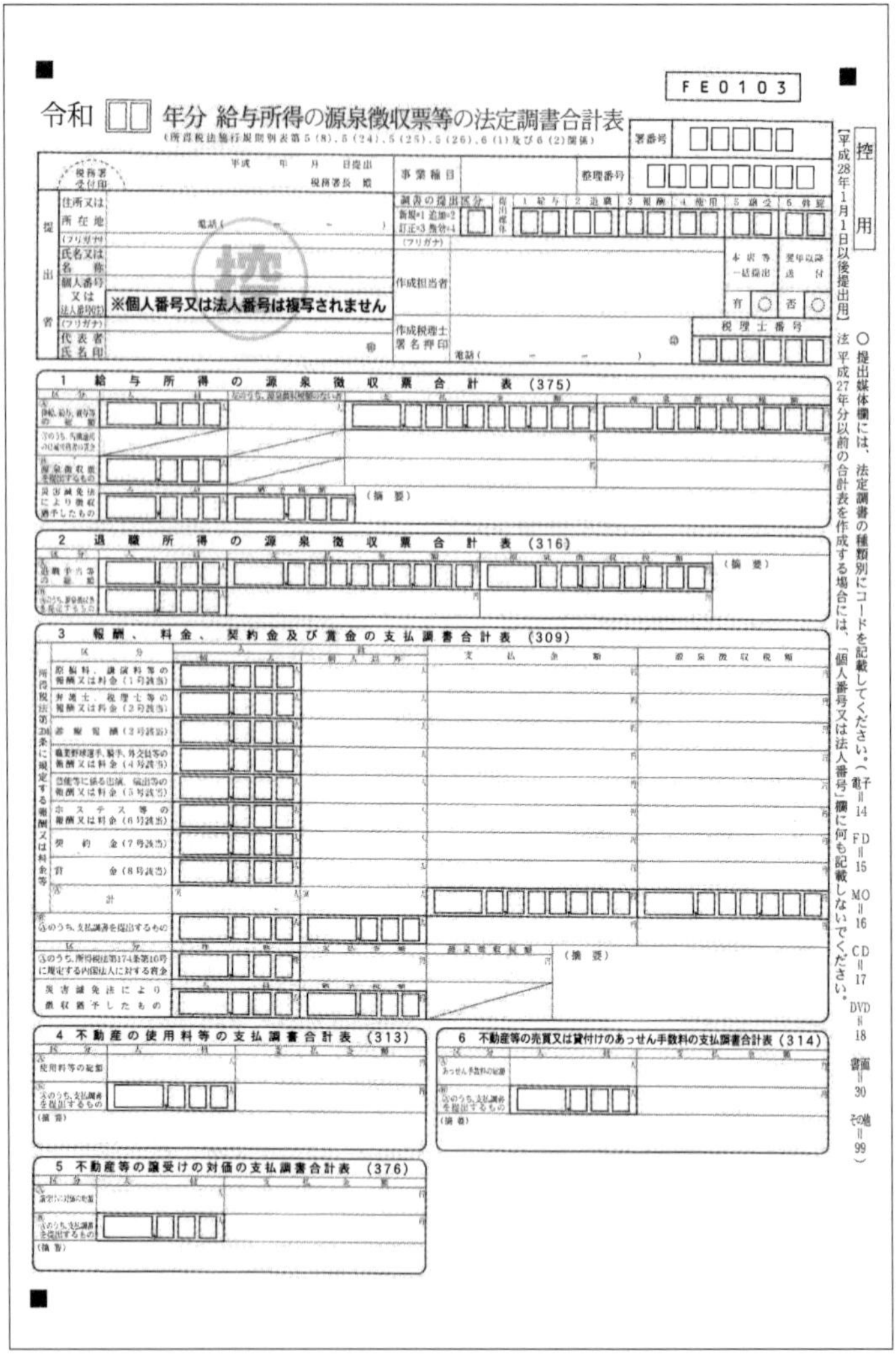

FE0103

令和　年分 給与所得の源泉徴収票等の法定調書合計表

（所得税法施行規則別表第５（８）、５（24）、５（25）、５（26）、６（１）及び６（２）関係）

署番号

平成　年　月　日提出

税務署受付印

税務署長　殿

事業種目

整理番号

提出者：住所又は所在地　電話（　－　－　）

（フリガナ）

氏名又は名称

個人番号又は法人番号

※個人番号又は法人番号は複写されません

（フリガナ）

代表者氏名印

調書の提出区分　新規＝1 追加＝2 訂正＝3 無効＝4

提出媒体　1 給与　2 退職　3 報酬　4 使用　5 譲受　6 斡旋

（フリガナ）

作成担当者

本店等一括提出　有

提出媒体以降送付　否

作成税理士署名押印　電話（　－　－　）

税理士番号

控用

【平成28年1月1日以後提出用】

○提出媒体欄には、コードを記載してください。（電子＝14　FD＝15　MO＝16　CD＝17　DVD＝18　書面＝30　その他＝99）

法定調書の種類別に平成27年分以前の合計表を作成する場合には、「個人番号又は法人番号」欄に何も記載しないでください。

1　給与所得の源泉徴収票合計表（375）

| 区分 | 人員 | ⒶのうちA源泉徴収票の提出省略 | 支払金額 | 源泉徴収税額 |
|---|---|---|---|---|
| Ⓐ俸給、給与、賞与等の総額 | | | | |
| ⒷⒶのうち、丙欄適用者の日雇賃金の総額 | | | | |
| Ⓒ源泉徴収票を提出するもの | | | | |
| 災害減免法により徴収猶予したもの | 人員 | 源泉猶予税額 | （摘要） | |

2　退職所得の源泉徴収票合計表（316）

| 区分 | 人員 | 支払金額 | 源泉徴収税額 | （摘要） |
|---|---|---|---|---|
| Ⓐ退職手当等の総額 | | | | |
| ⒷⒶのうち、源泉徴収票を提出するもの | | | | |

3　報酬、料金、契約金及び賞金の支払調書合計表（309）

| 区分 | 人員 | 延人員 | 支払金額 | 源泉徴収税額 |
|---|---|---|---|---|
| 原稿料、講演料等の報酬又は料金（1号該当） | | | | |
| 弁護士、税理士等の報酬又は料金（2号該当） | | | | |
| 診療報酬（3号該当） | | | | |
| 職業野球選手、騎手、外交員等の報酬又は料金（4号該当） | | | | |
| 芸能等に係る出演、演出等の報酬又は料金（5号該当） | | | | |
| ホステス等の報酬又は料金（6号該当） | | | | |
| 契約金（7号該当） | | | | |
| 賞金（8号該当） | | | | |
| Ⓐ計 | | | | |
| ⒶのうちA、支払調書を提出するもの | | | | |

| 区分 | 件数 | 支払金額 | 源泉徴収税額 | （摘要） |
|---|---|---|---|---|
| Ⓐのうち、所得税法第174条第10号に規定する内国法人に対する賞金 | | | | |
| 災害減免法により徴収猶予したもの | 人員 | 徴収猶予税額 | | |

4　不動産の使用料等の支払調書合計表（313）

| 区分 | 人員 | 支払金額 |
|---|---|---|
| Ⓐ使用料等の総額 | | |
| ⒷⒶのうち、支払調書を提出するもの | | |

（摘要）

5　不動産等の譲受けの対価の支払調書合計表（376）

| 区分 | 人員 | 支払金額 |
|---|---|---|
| Ⓐ譲受けの対価の総額 | | |
| ⒷⒶのうち、支払調書を提出するもの | | |

（摘要）

6　不動産等の売買又は貸付けのあっせん手数料の支払調書合計表（314）

| 区分 | 人員 | 支払金額 |
|---|---|---|
| Ⓐあっせん手数料の総額 | | |
| ⒷⒶのうち、支払調書を提出するもの | | |

（摘要）

## 【図表 32　法定調書合計表③】

**【給与所得の源泉徴収票等の法定調書合計表】**

**記載要領**

1　この合計表は、ＯＣＲ用紙で提出する場合に使用する。

**2　給与所得の源泉徴収票合計表**

(1)　**「Ⓐ俸給、給与、賞与等の総額」**欄には、給与所得の源泉徴収票の提出省略限度額以下のため給与所得の源泉徴収票の提出を省略するものを含めたすべての給与等について記載する。

なお、年の中途で就職した者が就職前に他の支払者から支払を受けた給与等の金額及び徴収された源泉所得税額並びに災害により被害を受けたため、給与所得に対する源泉所得税の徴収を猶予された税額は、「支払金額」又は「源泉徴収税額」に含めないで記載する。

(2)　**「左のうち、源泉徴収税額のない者」**欄には、給与所得の源泉徴収票の「源泉徴収税額」欄の金額がゼロとなる者の数を記載する。

(3)　**「Ⓐのうち、丙欄適用の日雇労務者の賃金」**欄には、給与所得の源泉徴収税額表（日額表）の丙欄を適用した給与等の状況を記載する。

(4)　**「Ⓑ源泉徴収票を提出するもの」**欄には、この合計表とともに給与所得の源泉徴収票を提出するものについて、その合計を記載する。

なお、年の中途で就職した者が就職前に他の支払者から支払を受けた給与等の金額及び徴収された源泉所得税額は、「支払金額」又は「源泉徴収税額」に含めて記載することに留意する。

(5)　**「災害減免法により徴収猶予したもの」**欄には、災害被害者に対する租税の減免、徴収猶予等に関する法律の規定により給与所得に対する源泉所得税の徴収を猶予されたものについて、その人員と猶予税額（給与所得の源泉徴収票の「摘要」欄に記載された所得税額）を記載する。

**3　退職所得の源泉徴収票合計表**

(1)　**「Ⓐ退職手当等の総額」**欄には、退職所得の源泉徴収票の提出を省略するものを含めたすべての退職手当等について記載する。

(2)　**「Ⓑ Ⓐのうち、源泉徴収票を提出するもの」**欄には、この合計表とともに退職所得の源泉徴収票を提出するものについて、その合計を記載する。

**4　報酬、料金、契約金及び賞金の支払調書合計表**

(1)　**「人員」**欄には、個人に係るものと個人以外の者に係るものとに区分して記載する。

(2)　**「支払金額」**欄には、個人及び個人以外の者に対して支払う報酬、料金、契約金及び賞金の支払金額の合計額を記載する。

(3)　**「源泉徴収税額」**欄には、災害被害者に対する租税の減免、徴収猶予等に関する法律の規定により報酬、料金、契約金及び賞金に対する源泉所得税の徴収を猶予された税額は含まれないことに留意する。

(4)　**「所得税法第 204 条に規定する報酬又は料金等」**欄には、支払調書の提出省略限度額以下のため支払調書の提出を省略するものを含めたすべての報酬、料金等について記載する。

また、**「Ⓐ計」**欄の**「人員」**欄の**「実」**には、**「所得税法第 204 条に規定する報酬又は料金等」**欄の各欄を通じた実人員を記載する。

(5)　**「Ⓐのうち、支払調書を提出するもの」**欄には、この合計表とともに報酬、料金、契約金及び賞金の支払調書を提出するものについて、その合計を記載する。

(6)　**「Ⓐのうち、所得税法第 174 条第 10 号に規定する内国法人に対する賞金」**欄には、内国法人に対して支払った所得税法第 174 条第 10 号に規定する馬主が受ける競馬の賞金（金銭で支払われるものに限る。）の支払金額等を記載する。

(7)　**「災害減免法により徴収猶予したもの」**欄には、災害被害者に対する租税の減免、徴収猶予等に関する法律の規定により報酬、料金、契約金及び賞金に対する源泉所得税の徴収を猶予されたものについて、その人員と猶予税額を記載する。

## 【図表 32　法定調書合計表④】

5 不動産の使用料等の支払調書合計表
(1) 「Ⓐ使用料等の総額」欄には、その年中に支払の確定した不動産の使用料等（支払調書の提出を要しないものを含む。）の支払先の人員と支払金額の合計額を記載する。
(2) 「Ⓑ Ⓐのうち、支払調書を提出するもの」欄には、この合計表とともに不動産の使用料等の支払調書を提出するものについて、その合計を記載する。
(3) 次に掲げる場合には、「摘要」欄に、それぞれ次に掲げる事項を記載する。
イ 支店が支払った不動産の使用料等に係る不動産の使用料等の支払調書（以下、この項において「支払調書」という。）を本店が取りまとめて本店の所在地を所轄する税務署長に提出する場合
(ｲ) 本店が提出するこの合計表の「(摘要)」欄には、当該支払調書を本店が取りまとめて提出する旨並びにその支店の所在地、名称及びその賃借している不動産の種類
(ﾛ) 支店が提出するこの合計表の「(摘要)」欄には、当該支払調書を本店が提出する旨及び本店の所在地
ロ 法人又は不動産業者である個人が不動産の使用料等の支払がないため不動産の使用料等の支払調書の提出を要しない場合 その旨
6 不動産等の譲受けの対価の支払調書合計表
(1) 「Ⓐ譲受けの対価の総額」欄には、その年中に支払の確定した不動産等の譲受けの対価及び資産の移転に伴い生じた各種の損失の補償金の合計額（支払調書の提出を要しないものを含む。）を記載する。
(2) 「Ⓑ Ⓐのうち、支払調書を提出するもの」欄には、この合計表とともに不動産等の譲受けの対価の支払調書を提出するものについて、その合計を記載する。
(3) 次に掲げる場合には、「摘要」欄に、それぞれ次に掲げる事項を記載する。
イ 支店が支払った不動産等の譲受けに係る不動産等の譲受けの対価の支払調書（以下、この項において「支払調書」という。）を本店が取りまとめて本店の所在地を所轄する税務署長に提出する場合
(ｲ) 本店が提出するこの合計表の「(摘要)」欄には、当該支払調書を本店が取りまとめて提出する旨並びにその支店の所在地、名称及びその譲受けた不動産等の種類
(ﾛ) 支店が提出するこの合計表の「(摘要)」欄には、当該支払調書を本店が提出する旨及び本店の所在地
ロ 租税特別措置法第 33 条（収用等に伴い代替資産を取得した場合の課税の特例）に規定する特定土地区画整理事業等の事業施行者、租税特別措置法第 33 条の 2（交換処分等に伴い資産を取得した場合の課税の特例）に規定する特定住宅地造成事業等のための買取りをする者及び租税特別措置法第 33 条の 4(収用交換等の場合の譲渡所得等の特別控除）に規定する公共事業施行者が、法律の規定に基づいて買取り等の対価を支払う場合 その「事業名又は工事名」及び「買取り等の申出年月日」
7 不動産等の売買又は貸付けのあっせん手数料の支払調書合計表
(1) 「Ⓐあっせん手数料の総額」欄には、その年中に支払の確定した不動産等の売買又は貸付けのあっせん手数料の合計額（支払調書の提出を要しないものを含む。）を記載する。
(2) 「Ⓑ Ⓐのうち、支払調書を提出するもの」欄には、この合計表とともに不動産等の売買又は貸付けのあっせん手数料の支払調書を提出するものについて、その合計を記載する。
なお、この支払調書に記載すべき事項を、「不動産の使用料等の支払調書」又は「不動産の譲受けの対価の支払調書」に記載して提出することによって、この支払調書の作成、提出を省略したものについては、その支払を受けた者の人員及び当該支払金額をそれぞれ「(摘要)」欄に記載する。
(3) 次に掲げる場合には、「摘要」欄に、それぞれ次に掲げる事項を記載する。
イ 支店が支払った不動産等の売買又は貸付けのあっせん手数料に係る不動産等の売買又は貸付けのあっせん手数料の支払調書（以下、この項において「支払調書」という。）を本店が取りまとめて本店の所在地を所轄する税務署長に提出する場合
(ｲ) 本店が提出するこの合計表の「(摘要)」欄には、当該支払調書を本店が取りまとめて提出する旨並びにその支店の所在地、名称及びその売買又は貸付けのあっせんをした不動産等の種類
(ﾛ) 支店が提出するこの合計表の「(摘要)」欄には、当該支払調書を本店が提出する旨及び本店の所在地
ロ 法人又は不動産業者である個人が不動産等の売買又は貸付けのあっせん手数料の支払がないため不動産等の売買又は貸付けのあっせん手数料の支払調書の提出を要しない場合 その旨
8 税務署整理欄は、提出義務者において記載を要しない。

【図表33　源泉所得税の納期の特例の承認に関する申請書①】

源泉所得税の納期の特例の承認に関する申請書

| | |
|---|---|
| ※整理番号 | |

税務署受付印

| | | |
|---|---|---|
| 令和　年　月　日 | （フリガナ） | |
| | 氏名又は名称 | |
| | 住所又は本店の所在地 | 〒<br>電話　－　－ |
| | （フリガナ） | |
| 税務署長殿 | 代表者氏名 | ㊞ |

次の給与支払事務所等につき、所得税法第216条の規定による源泉所得税の納期の特例についての承認を申請します。

| | | | | |
|---|---|---|---|---|
| 給与支払事務所等に関する事項 | 給与支払事務所等の所在地<br>※　申請者の住所（居所）又は本店（主たる事務所）の所在地と給与支払事務所等の所在地とが異なる場合に記載してください。 | 〒<br>電話　－　－ | | |
| | 申請の日前６か月間の各月末の給与の支払を受ける者の人員及び各月の支給金額<br>〔外書は、臨時雇用者に係るもの〕 | 月区分 | 支給人員 | 支給額 |
| | | 年　月 | 外<br>人 | 外<br>円 |
| | | 年　月 | 外<br>人 | 外<br>円 |
| | | 年　月 | 外<br>人 | 外<br>円 |
| | | 年　月 | 外<br>人 | 外<br>円 |
| | | 年　月 | 外<br>人 | 外<br>円 |
| | | 年　月 | 外<br>人 | 外<br>円 |
| | 1　現に国税の滞納があり又は最近において著しい納付遅延の事実がある場合で、それがやむを得ない理由によるものであるときは、その理由の詳細<br>2　申請の日前１年以内に納期の特例の承認を取り消されたことがある場合には、その年月日 | | | |

| | |
|---|---|
| 税理士署名押印 | ㊞ |

| | | | | | | | | | | | | | | |
|---|---|---|---|---|---|---|---|---|---|---|---|---|---|---|
| ※税務署処理欄 | 部門 | | 決算期 | | 業種番号 | | 入力 | | 名簿 | | 通信日付印 | 年月日 | 確認印 | |

24.12改正

## 【図表 33　源泉所得税の納期の特例の承認に関する申請書②】

### 源泉所得税の納期の特例の承認に関する申請書の記載要領等

1　源泉所得税の納期の特例の制度について

(1)　源泉所得税の納期の特例の適用を受けることができるのは、給与等の支払を受ける人の人数が常時 10 人未満である源泉徴収義務者です。

(注)　「常時 10 人未満」というのは平常の状態において 10 人に満たないということであって、多忙な時期等において臨時に雇い入れた人があるような場合には、その人数を除いた人数が 10 人未満であることです。

(2)　(1)に該当する源泉徴収義務者がこの特例の適用を受けようとする場合には、所轄の税務署長に申請し、その承認を受けなければなりません。

(注)　この申請書を提出した月の翌月末日までに税務署長から承認又は却下の通知がなければ、この申請書を提出した月の翌月末日に承認があったものとされ、その申請の翌々月の納付分からこの特例が適用されます。

| (例) | (給与等) | | (納期限) |
|---|---|---|---|
| 申請書を提出した月が2月中の場合 | 2月支給分 | → | 3月 10 日まで |
| | 3月～6月支給分 | → | 7月 10 日まで |

(3)　この特例が適用されるのは、次に掲げる源泉所得税及び復興特別所得税に限られます。

したがって、この特例の承認を受けた源泉徴収義務者であっても、次に掲げる所得以外の所得について源泉徴収した所得税及び復興特別所得税は、通常の例により支払った月の翌月 10 日までに納付しなければなりません。

イ　給与等及び退職手当等（非居住者に対して支払った給与等及び退職手当等を含みます。）について源泉徴収した所得税及び復興特別所得税

ロ　弁護士（外国法事務弁護士を含みます。）、司法書士、土地家屋調査士、公認会計士、税理士、社会保険労務士、弁理士、海事代理士、測量士、建築士、不動産鑑定士、技術士、計理士、会計士補、企業診断員（企業経営の改善及び向上のための指導を行う者を含みます。）、測量士補、建築代理士（建築代理士以外の者で建築に関する申請若しくは届出の書類を作成し、又はこれらの手続を代理することを業とするものを含みます。）、不動産鑑定士補、火災損害鑑定人若しくは自動車等損害鑑定人（自動車又は建設機械に係る損害保険契約の保険事故に関して損害額の算定又はその損害額の算定に係る調査を行うことを業とする者をいいます。）又は技術士補（技術士又は技術士補以外の者で技術士の行う業務と同一の業務を行う者を含みます。）の業務に関する報酬・料金について源泉徴収した所得税及び復興特別所得税

(4)　この特例の承認を受けた場合には、次に掲げる期限までに源泉徴収した所得税及び復興特別所得税を納付しなければなりません。

| (支給期間) | | (納期限) |
|---|---|---|
| 1月～6月支給分 | → | 7月 10 日まで |
| 7月～12 月支給分 | → | 翌年 1月 20 日まで |

(5)　納期の特例について承認を受けていた源泉徴収義務者については、給与等の支払を受ける人が常時 10 人以上となった場合には、その旨を遅滞なく税務署長に届け出なければなりません。

◎　注意

滞納や著しい納付遅延があるような源泉徴収義務者については、この特例の承認を受けられないことがあります。また、この承認を受けても、滞納したり、納付遅延をしますと、この特例の承認を取り消されることがありますから、そのようなことがないよう特にご注意願います。

2　各欄の記載方法

(1)　「氏名又は名称」欄には申請者の氏名又は名称を、「住所又は本店の所在地」欄には申請者の住所（居所）又は本店（主たる事務所）の所在地を記載してください。また、法人の場合は、「代表者氏名」欄に、代表者の氏名を記載してください。

(2)　「給与支払事務所等の所在地」欄は、申請者の住所（居所）又は本店（主たる事務所）の所在地と給与支払事務所等の所在地とが異なる場合に記載してください。

(3)　「申請の日前6か月間の各月末の給与の支払を受ける者の人員及び各月の支給金額」欄には、申請の日前６か月間の各月末の人員と各月の給与の支給金額とを記入してください。

この場合、臨時に雇い入れた人がいるときは、その人数を「支給人員」欄に、その支給金額を「支給額」欄にそれぞれ外書きしてください。

(4)　「1　現に国税の滞納があり又は最近において著しい納付遅延の事実がある場合で、それがやむを得ない理由によるものであるときは、その理由の詳細」欄及び「2　申請の日前 1 年以内に納期の特例の承認を取り消されたことがある場合には、その年月日」欄は、該当する場合に限り必要事項を記載してください。

(5)　「税理士署名押印」欄は、この申請書を税理士及び税理士法人が作成した場合は、その税理士等が署名押印してください。

(6)　「※」欄は、記載しないでください。

3　留意事項

○　法人課税信託の名称の併記

法人税法第 2 条第 29 号の 2 に規定する法人課税信託の受託者がその法人課税信託について、国税に関する法律に基づき税務署長等に申請書等を提出する場合には、申請書等の「氏名又は名称」の欄には、受託者の法人名又は氏名のほか、その法人課税信託の名称を併せて記載してください。

## 【図表 34　給与支払事務所等の開設・移転・廃止届出書①】

| ※整理番号 | |
|---|---|

税務署受付印

**給与支払事務所等の開設・移転・廃止届出書**

| | | | |
|---|---|---|---|
| 令和　年　月　日<br><br>税務署長殿<br><br>所得税法第 230 条の規定により次のとおり届け出ます。 | 事務所開設者 | （フリガナ）<br>氏名又は名称 | |
| | | 住所又は本店所在地 | 〒<br>電話（　）　－ |
| | | （フリガナ）<br>代表者氏名 | ㊞ |

（注）「住所又は本店所在地」欄については、個人の方については申告所得税の納税地、法人については本店所在地を記載してください。

| 開設・移転・廃止年月日 | 令和　年　月　日 | 給与支払を開始する年月日 | 令和　年　月　日 |
|---|---|---|---|

○届出の内容及び理由
（該当する事項のチェック欄□に✓印を付してください。）

| 区分 | 内容 | 「給与支払事務所等について」欄の記載事項 開設・異動前 | 異動後 |
|---|---|---|---|
| 開設 | □ 開業又は法人の設立 | | |
| | □ 上記以外<br>※本店所在地等とは別の所在地に支店等を開設した場合 | 開設した支店等の所在地 | |
| 移転 | □ 所在地の移転 | 移転前の所在地 | 移転後の所在地 |
| | □ 既存の給与支払事務所等への引継ぎ<br>（理由）□ 法人の合併　□ 法人の分割　□ 支店等の閉鎖<br>□ その他（　） | 引継ぎをする前の給与支払事務所等 | 引継先の給与支払事務所等 |
| 廃止 | □ 廃業又は清算結了　□ 休業 | | |
| その他（　） | | 異動前の事項 | 異動後の事項 |

○給与支払事務所等について

| | 開設・異動前 | 異動後 |
|---|---|---|
| （フリガナ）<br>氏名又は名称 | | |
| 住所又は所在地 | 〒<br>電話（　）　－ | 〒<br>電話（　）　－ |
| （フリガナ）<br>責任者氏名 | | |

| 従事員数 | 役員　人 | 従業員　人 | （　）　人 | （　）　人 | （　）　人 | 計　人 |
|---|---|---|---|---|---|---|

（その他参考事項）

| 税理士署名押印 | ㊞ |
|---|---|

| ※税務署処理欄 | 部門 | | 決算期 | | 業種番号 | | 入力 | | 名簿等 | | 用紙交付 | | 通信日付印 | 年月日 | 確認印 | |
|---|---|---|---|---|---|---|---|---|---|---|---|---|---|---|---|---|

（規格Ａ４）

23．12 改正　　　　（源０３０１）

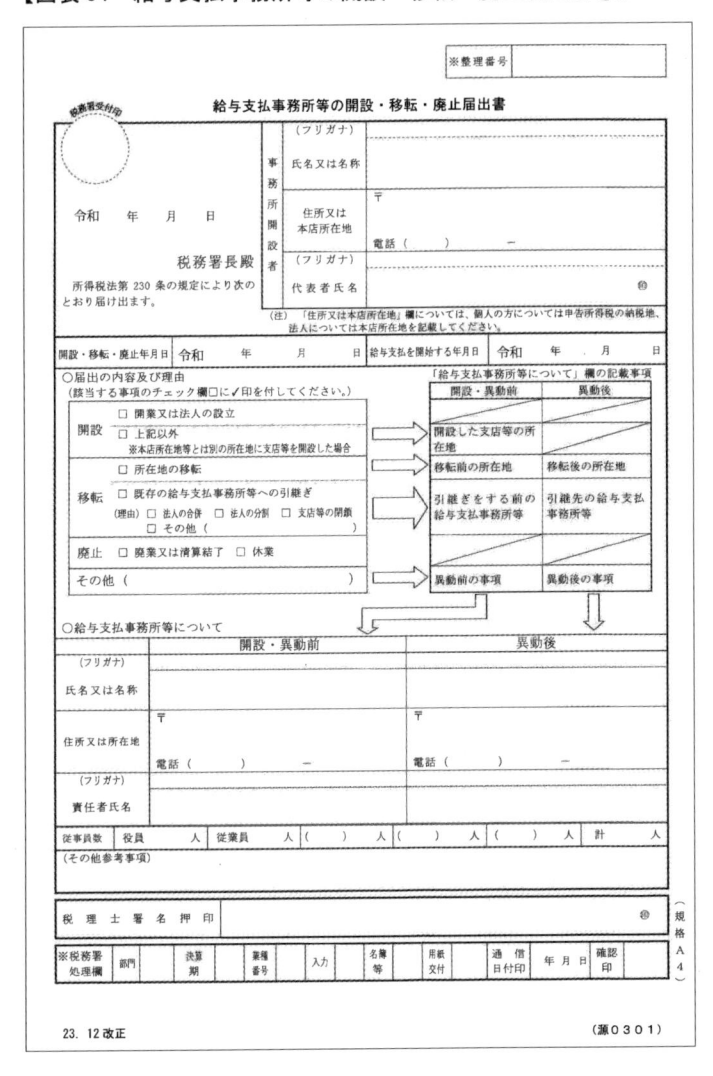

## 【図表 34　給与支払事務所等の開設・移転・廃止届出書②】

### 給与支払事務所等の開設・移転・廃止届出書の記載要領等

1　この届出書は、給与等の支払事務を取り扱う事務所等（以下「給与支払事務所等」といいます。）を開設、移転又は廃止した日から１か月以内にその給与支払事務所等の所在地の所轄税務署長（移転の場合には、移転前と移転後のそれぞれの事務所等の所在地の所轄税務署長）に提出してください。

2　各欄は、次により記載してください。

(1)「事務所開設者」の各欄には、届出者の氏名又は名称、住所（居所）又は本店（主たる事務所）の所在地及び法人の場合は代表者の氏名をそれぞれ記載してください。

(2)「給与支払を開始する年月日」欄は、給与支払事務所等を開設した月中に給与の支払が開始されない場合に、給与の支払を開始した日（又は開始予定日）を記載してください。

(3)「届出の内容及び理由」欄は、該当する事項のチェック欄□に✓印を付してください。

給与支払事務所等の名称の変更など届出事項に異動があった場合は、「その他」欄に異動した届出事項を記入し、「給与支払事務所等について」欄に異動の内容を記載してください。

(4)「給与支払事務所等について」の各欄には、届出の内容及び理由に基づき所要の事項を記載してください。

(注) 給与支払事務所等の移転があった場合、移転前の支払に係る源泉所得税の納税地は、この届出書に記載された移転後の給与支払事務所等の所在地とされます。

そのため、法人の合併又は分割の場合は、被合併法人又は分割法人の源泉所得税の納税地は、合併法人又は分割承継法人の給与支払事務所等（本店又は支店等）の所在地に引き継がれることになります。

また、支店等の給与支払事務所等は、事務所開設者が廃業又は清算結了しない限り廃止したことにはならないため、支店等を閉鎖した場合のその納税地は、他の給与支払事務所等（本店又は他の支店等）の所在地に引き継がれることになります。

【既存の給与支払事務所等への引継ぎをする場合の理由別の記載事項】

| 引継理由 | 引継ぎをする前の給与支払事務所等 | 引継先の給与支払事務所等 |
|---|---|---|
| 法人の合併 | 被合併法人（被合併法人の本店及び支店等） | 合併法人の本店又は支店等 |
| 法人の分割 | 分割法人（分割法人の本店及び支店等） | 分割承継法人の本店又は支店等 |
| 支店等の閉鎖 | 閉鎖される支店等 | 閉鎖される支店等の給与支払事務を引き継ぐ本店又は他の支店等 |

(5)「従事員数」欄には給与等を支払う職種別の人員数を記載してください。

(6)「その他参考事項」欄は、法人成りにより個人の事業を廃止した場合のその廃止した事業に係る事業主、納税地、整理番号など、参考となる事項を記載してください。

(7)「税理士署名押印」欄は、この届出書を税理士及び税理士法人が作成した場合に、その税理士等が署名押印してください。

(8)「※」欄は、記載しないでください。

3　留意事項

○　法人課税信託の名称の併記

法人税法第２条第29号の２に規定する法人課税信託の受託者がその法人課税信託について、この届出書を提出する場合には、申請書等の「氏名又は名称」の欄には、受託者の氏名又は法人の名称のほか、その法人課税信託の名称を併せて記載してください。

# 第5章　許認可申請（外国人向け）

## 1　古物商許可

古物商許可申請は、外国人起業家の中でも多くの方が取得する許認可です。

ビジネスとして日本の中古車や中古の高級腕時計などを売ったり、買ったりするには、「古物商許可」が必要なのです。店舗で中古のブランド品を売買したり、中古車を輸出入したり、インターネットで中古品を売買するにも、「古物商許可」が必要になります。

**申請先は警察署**

古物商許可の申請先は、【警察署】です。

警察署の中の生活安全課というところに申請をするのですが、警察署も管轄があり、管轄の警察署に申請しなければなりません。ご自分の住所地に申請するわけではありません。会社の住所を管轄する警察署に古物商許可の申請をします。

申請した後の審査期間は、約1か月～1か月半かかります。

**古物商許可が必要なビジネスの例**

古物商許可が必要なビジネスとしては、次のものがあげられます。

・リサイクルショップ
・中古車の売買
・ブランド品の売買
・オークションサイトの運営
・委託販売（中古品を買い取らずに売ること）
・日本で買い取った中古品を海外で売る
※鉄・銅・アルミニウムなどの金属くずを売買するためには、金属くず商許可が別途必要になります。

## 2　飲食店営業許可

外国人が日本で起業するに当たって、比較的多いのが外国料理店です。中華料理店、ネパール料理店、タイ料理店、ベトナム料理店、韓国料理店などの飲食店経営です。

日本で飲食店を経営するためには、「飲食店営業許可」が必要になります。経営管理ビザを取得する上でも、飲食店営業許可の取得は必須です。

### 保健所への申請

飲食店営業許可は、お店の住所を管轄する保健所に申請します。お店の内装工事が完了している場合は、保健所に申請書を提出してから約1～2週間前後で営業開始が可能です。

## 申請から許可までの流れ

申請から許可までの流れは、次のようになります。

必要書類収集と申請書一式作成↓保健所へ書類提出&店舗現地調査の日程調整↓保健所職員による店舗現地調査↓飲食店営業許可証交付

## 飲食店営業許可の要件

飲食店営業許可を取るために一番重要なのは、「食品衛生責任者資格」を取ることです。食品衛生責任者資格を取得しないと、飲食店営業許可は取得できません。

食品衛生責任者資格は、1日講習会に参加すれば取得できます。試験はありませんので、外国人でも基本的には問題なく取得できます。

講習会は、日本語で行われますので、日本語が不得意な方にとっては内容が難しいかもしれませんが、参加するだけで取得できる資格です。

講習会は、スケジュールと開催場所が決まっており「事前予約制」です。予約は混んでいますので、会社設立と経営管理ビザの申請と併わせて、うまくスケジュールを組む必要があります。

飲食店営業許可の要件としては、お店の設備に関するものが多いです。したがって、物件選びから注意していきましょう。

外国人の方は、「どのような設備があれば許可が取れるのか」が不安だと思いますので、次にその説明をしていきます。

なお、説明は、あくまでも主な要件に関するものであって、細かいルールは保健所によって異なる場合もあるので、必ず事前に管轄の保健所に確認が必要になります。

### ●２槽シンク

２槽シンクとは、水、お湯の蛇口がそれぞれ独立してついており、両方のシンクにそれぞれ水やお湯を注げる構造のことです。

大きさは、１槽のサイズが幅45センチ×奥行き36センチ×深さ18センチ以上が必要とされています。これよりも小さいと交換するように指導する保健所職員もいますから注意しましょう。

### ●手洗い

手洗いは、従業員用とお客様用の２つが最低限必要です。手洗い場は、手洗い用の洗剤が入った容器が固定されていなければなりません。

お客様用の手洗いは、トイレの中にあればよいという保健所もありますが、トイレとは別に客席エリアにも最低１つ必要という保健所もありますので事前確認が必要です。

### ●調理場と客席エリアを区分する

調理場と客席エリアは、ドア等で区切られている必要があります。区切りはドアがよいですが、スイングドア（ウェスタンドア）でも大丈夫です。

また、客席エリアには、食材や調理場所があってはいけません。基本的に客席に置いてある冷蔵庫に食材が入っているのはダメです。しかし、客席の冷蔵庫内は瓶の飲み物だけだったら許可されることも多いですから保健所職員と事前相談が必要です。

なお、客席にドリンクバーやサラダバーを設置したい場合も、事前に保健所職員に相談しなければなりません。

●冷蔵庫に温度計を設置する

調理場にある冷蔵庫には、温度計を設置する必要があります。温度計は、外から温度が確認できるものである必要があります。温度計は1，000円前後でインターネット通販などでも買えます。

●戸がついている食器棚を設置する

ホコリやゴミがつかないように、食器棚には戸がついている必要があります。

●調理場の床や壁には防水性のある材質を使う

調理場の床や壁は、掃除がしやすく、清潔に保つため、防水性のあるものを使用する必要があります。基本的にカーペットや木製は認められません。

●窓

換気扇のないトイレの窓は、防虫防鼠のため網戸の設置が必要です。

●給湯器

基本的にはお湯が出るように給湯器を設置する必要があります。

飲食店営業許可申請は、簡単なように見えても、実は保健所とのやり取りや、食品衛生責任者資格取得、営業許可申請書作成、実地検査などやることがたくさんあります。

## 3　免税店許可

免税店許可申請は、外国人起業家の中でも多くの方が取得する許認可です。

日本の家電品、高級時計、宝飾品、化粧品、雑貨などについては、免税店制度を利用し、外国人観光客からの売上をアップすることができます。

日本は、年々外国人観光客数が増加しています。２０２０年の東京オリンピックを控え、都市部も地方も訪日外国人が増加しています。免税店も毎年増加しています。

免税店許可は、免税店を運営するために必要な許可です。免税店許可とは、簡単に言えば、外国人旅行者が日本で買い物をするときに消費税がかからないというお店です。

免税店になると、図表32ような免税店のマークを店につけることができるようになり、外国人観光客が免税店だと認識しやすくなり、集客力アップが見込めます。

このマークは、「この店は免税店ですよ」という目印です。高額商品であればあるほど、外国人旅行客は、やはり８％の消費税が免除されるお店で買い物をしたいはずです。

【図表35　免税店マーク】

## 申請先は税務署

免税店許可の申請先は、「税務署」です。免税店許可を取るためには、販売場の見取り図、社内の免税販売マニュアル、事業内容がわかる書類、取扱商品一覧表などを添付し、申請書一式を作成した上で申請する必要があります

申請して許可になるまでの審査期間は、税務署により異なりますが、約30日前後となります。

## 免税店許可の要件

免税店許可を取るためには、次の要件をすべて満たす必要があります。

・免税店になろうとする事業者が消費税の課税事業者であること
・現に国税の滞納（滞納額の徴収が著しく困難であるものに限る）がないこと
・輸出物販売場の許可を取り消され、その取消しの日から3年を経過しないものでないこと。その他輸出物品販売場を経営する事業者として特に不適当と認められる事情がないこと
・その店舗が、現に非居住者の利用する場所又は非居住者の利用が見込まれる場所に所在する販売場であること(申請時点で利用度が高い場所はもちろんです、今度利用が見込まれる場所も含まれます。非居住者が出入国する空港や港観光地は、利用度が高い場所と考えられますが、これらの場所に限りません)

・その店舗が「免税販売手続に必要な人員を販売店に配置」し、かつ、「免税販売手続を行うための設備を有する」販売場であること

# 4　旅行業免許

旅行ツアーの企画や航空券の手配をするには、「旅行業登録」をしなければなりません。外国人の方が取得する旅行業登録は、第３種旅行業や旅行代理業が多いようです。

外国人の方が、日本で会社をつくって、経営管理ビザを取る上で許認可が必要なビジネスをやる場合は、経営管理ビザ申請前に各種許認可を取得しておく必要があります。旅行業登録もその1つです。

外国人が日本で旅行業をビジネスとしてやりたい場合は、「旅行業登録」をしなければなりません。旅行業登録を受けないで旅行業務を行うと処罰されますし、そもそも経営管理ビザを取得できません。

旅行業登録のためには、営業保証金の供託（または旅行業協会へ加入）や旅行業務取扱管理者を備えるなどの各種要件があります。

**第１種旅行業の業務範囲**

募集型企画旅行、受注型企画旅行、手配旅行、受託契約に基づく代理販売など、すべての日本国内・海外の旅行業務を行うことができます。

**第2種旅行業の業務範囲**

海外の募集型企画旅行以外の、日本国内と海外の旅行業務を行うことができます。

**第3種旅行業の業務範囲**

日本国内・海外の両方とも受注型企画旅行、手配旅行、受託契約に基づく販売代理を行うことができます。海外の募集型企画旅行はできませんが、日本国内の募集型企画旅行は、一定の条件のもと行うことができます。

**旅行業者代理業**

所属旅行業者を代理して旅行業者と契約を締結できます。したがって、所属旅行業者との業務委託契約の内容により業務範囲が異なります。

**旅行業協会について**

旅行業登録のためには、第1種旅行業は7，000万円、第2種旅行業は1，100万円、第3種旅行業は300万円の営業保証金を供託しなければなりませんが、旅行業協会へ入会すれば営業保証金の5分の1の金額で営業を開始することができます。

旅行業法に規定された旅行業協会は、現在日本には2つあります。1つは「日本旅行業協会（J

ＡＴＡ）」と、もう1つは「全国旅行業協会（ＡＮＴＡ）」です。どちらに加入しても大丈夫ですが、それぞれ入会金と年会費が必要になります。

## 5　宅建業免許

日本で不動産会社の経営、つまり不動産の賃貸仲介、売買仲介をやるには、「宅建業免許登録」をしなければなりません。外国人の方が日本で不動産会社を経営するために必要なのが、宅建業免許登録です。

外国人の方が、日本で会社をつくって、経営管理ビザを取る上で許認可が必要なビジネスをやる場合は、経営管理ビザ申請前に各種許認可を取得しておく必要があります。宅建業免許登録もその1つです。

外国人が日本で不動産業をビジネスとしてやりたい場合は、「宅建業免許登録」をしなければなりません。

宅建業免許登録を受けないで不動産仲介を行うと処罰されますし、そもそも経営管理ビザを取得できません。

宅建業免許登録のためには、営業保証金の供託（または保証協会へ加入）や宅地建物取引士を備えるなどの各種要件があります。

### 営業保証金について

日本で不動産業を始めるには、「営業保証金」を法務局に供託しなければなりません。営業保証金は、宅建取引で「消費者が損害を受けた場合に弁済するお金を預けておく」ためのものです。営業保証金は主たる事務所で1，000万円、従たる事務所では500万円です。この営業保証金は、保証協会に加入し、「弁済業務保証金分担金」を預けることで不要になります。保証協会に預ける弁済業務保証金分担金は、主たる事務所で60万円、従たる事務所で30万円となります。保証協会は、全国宅地建物取引業協会と不動産保証協会の2つがありますが、どちらに加入してもかまいません。

### 宅建業免許申請の審査期間

宅建業免許申請から免許取得までの期間は、申請が受け付けられてから30日間前後です。

### 許認可取得のタイミング

通常、許認可取得後に経営管理ビザ申請となりますが、中には外国人経営者が経営管理ビザを所持していることが許認可の要件となっているものもあります。そういう場合は、経営管理ビザは入管法上要求されている条件を満たし、具体的な事業計画書と共に、許認可の申請と取得計画を詳細に説明すれば、ビザ申請時点では許認可がなくても経営管理ビザが許可される可能性はあります。

# 第6章　今後のために

# 1　経営管理ビザの更新

外国人の経営者や管理者は、経営管理ビザを取得して、日本に滞在し、ビジネス活動を行っていますが、何年かに1回は在留資格（ビザ）の更新手続が必要になります。

会社設立時に初めて取得する場合、経営管理ビザは、通常、1年間の在留期間が許可されます。そして、1年後には、経営管理ビザの更新手続が必要になります（一番多いのは、初回1年↓更新1年↓再更新3年という期間での更新パターンです。※必ずこうなるとは限りません）。

外国人経営者にとって経営管理ビザは、日本で会社を経営するためには必須のものであり、どうやって維持していくのかが重要です。

日本人と結婚したり、永住ビザを取得したりすれば、経営管理ビザはいらないわけですが、通常は経営管理ビザを更新していくことになります。

経営管理ビザの更新では、申請後に必ず審査が入ります。自動的に更新されるわけではありません。

**更新審査項目基準**

基本的な審査項目としては、外国人経営者・管理者が日本でしっかりと経営者または管理者としての活動を行っているのかという観点で、様々な提出書類から審査されます。その更新審査基準としては次のものがあります。

①　法人の決算報告書は若干でも黒字決算であること

経営管理ビザの更新での審査で一番重要視されているのは、会社の決算状況です。

「事業の安定性や継続性」は、決算書から判断されることが多いです。その意味では、赤字決算ではなく、若干でも黒字決算のほうがスムーズに更新されるといえます。

しかしながら、単に赤字決算だからといって更新ができないということではありません。会社を設立した初年度は、ビジネスモデルにもよりますが1期目は赤字になることも多いものです。1期目の決算については売上規模、経費、負債等の状況から総合的に判断されます。

2期目以降も、単に赤字であることだけで更新が不許可になることはありませんが、1期目よりは審査は厳しめに働くことが多いです。

②　事業の種類によるが一定規模の売上があること

③　赤字決算の場合は更新申請時に今後の事業計画書を作成して提出していること

④　法人税等の会社関係の税金を完納していること

⑤　役員報酬は最低でも月額18万円以上で設定していること

経営管理ビザを取るのは、外国人経営者か管理者ですから、給与というよりは「役員報酬」で支払われることがほとんどのはずです。

役員報酬は、株主総会や取締役会で決めるものであり、小さな会社であれば、実質的には自分でその額を決めるものです。

経営管理ビザのスムーズな更新に当たっては、役員報酬を低い水準で設定してはいけません。例えば、役員報酬を月額5万円や10万円と設定すると、出入国在留管理局の立場からすれば、どうやって日本で生活していくのかという観点から疑問符がつきます。

最低でも、月額18万円くらいあれば、新卒社員と同程度ですから、贅沢しなければ質素に生活することはできる水準です。

しかし、月額5万円では、もはや生活は成り立ちません。

法人として、利益を出すために役員報酬を過度に下げたり、個人の節税目的で過度に役員報酬を下げることは避けましょう。

⑥　経営者個人としての住民税は完納していること

役員報酬を適正に出し、外国人経営者個人として住民税の納税をしていることが、更新の審査上は重要です。

**3年の経営管理ビザを取るためには**

毎年の更新は面倒なので、3年の経営管理ビザを取りたいという外国人経営者は多いでしょう。

では、どうすれば、3年の経営管理ビザを取れるのでしょうか。

3年の経営管理ビザが許可されるために審査される項目としては、会社の決算状況、会社の規模、ビジネスモデル、法人の納税状況、経営者個人の納税状況、経営者の経歴を総合的に勘案して決定されます。

**経営管理ビザ更新のポイントは**

経営管理ビザは、最初は1年間しか出ないのが通常です。1年後には更新手続が必要です。会社を経営していくためには、経営管理ビザの更新が必要ですから更新のポイントについてご説明します。

出入国在留管理局では、ビザ更新の要件として「事業の継続性」をあげています。「決算が赤字でもビザ更新はできますか」という質問を受けることがあります。単に赤字だからといって更新ができなくなるわけではありません。

赤字の場合は、今後1年間の事業計画書を提出する必要があります。この事業計画書の中に黒字化するという計画を盛り込むことができれば許可になる可能性が高くなります。

**経営管理ビザの更新が不許可になる場合**

経営管理ビザの更新が不許可になる場合は、次の3つです。

①　直近年度とその前の年の2期にわたって「債務超過」だった場合

債務超過とは、簡単にいえば会社の全資産を売却したとしても借金を返済できない状態です。これは、決算書の1つである貸借対照表から判断します。

② 直近年度とその前の年度の2期にわたって売上総利益がない場合

売上総利益とは、売上－原価です。粗利ともいわれます。これは、決算書の1つである損益計算書から判断します。

③ 飲食店や整体院、ネイルサロンなど店舗系ビジネスで経営者以外の人員が確保できなくなった場合

経営管理ビザを取得した外国人経営者は、原則として接客業務はできません。接客スタッフが確保されていないということは、経営者自ら接客をするという意味だと判断され、経営管理ビザの更新が難しくなります。

## 2 外国人経営者の家族を呼びたい場合（家族滞在ビザ）

外国人が日本で会社設立し、経営管理ビザを取得し来日した場合は、その配偶者や子供は「家族滞在ビザ」で一緒に日本に来ることができます。

経営管理ビザと家族滞在ビザは、同時に申請することもできますし、経営者（経営管理ビザ）だけ先に日本に来て、後から配偶者や子供が家族滞在ビザで日本に来ることも可能です。これは家族

の事情に合わせて来日時期を考えればよいと思います。

しかしながら、経営管理ビザが取得できれば、自動的に家族滞在ビザが許可されるわけではありません。経営管理ビザと家族滞在ビザ、別の審査になります。

つまり、経営管理ビザはその許可要件に合わせて審査されますし、家族滞在ビザはまた別の審査があります。

家族滞在ビザが許可されるには、夫婦の婚姻の実態の証明が必要ですし、子供なら子供だという証明をしっかりしなければなりません。さらには、経営者たる者がきちんと扶養できるかということも確認されます。

**家族滞在ビザ許可のポイント**

扶養者（経営管理ビザの外国人）は、扶養の意志があることが前提です。そして、扶養の意志があって、さらに扶養することが実際に可能なこと、つまり資金的証明が可能なことが必要です。

**配偶者は、現在扶養を受けていること**

子供は、現在監護・教育を受けていること。妻や子が日本に来て仕事をするつもりなら、そもそも家族滞在は許可されません。

ただし、資格外活動許可を受ける場合を除きます。

## 家族滞在ビザで呼べる「配偶者」と「子」について

家族滞在ビザでは、配偶者と子供を呼ぶことができます。子供は、未成年で未婚の必要があります。両親を日本に呼ぶ場合は、「家族滞在ビザ」は使えません。原則として、両親は短期滞在ビザでしか呼ぶことはできません。

## 家族滞在ビザの審査ポイント（子供を呼ぶ場合）

子供を家族滞在で呼ぶ場合は、年齢が問題になります。筆者の感覚では、高校を卒業してしまっている場合、つまり、18歳以上の場合は、なぜ「家族滞在ビザ」で日本に呼ぶのかを合理的に出入国在留管理局に説明をしないと許可が出にくいと考えられます。

20歳に近くなればなるほど、「親に扶養を受ける」のではなく、日本に来て仕事をすることが目的ではないかと出入国在留管理局に判断されてしまうからです。

したがって、一般的に考えれば、子供の年齢が上がっていくにつれて許可の可能性が低くなります。16歳、17歳の母国で高校生の子供の場合でも、なぜ日本語ができないのにいまさら日本に来るのか、母国で高校を卒業してから日本に「留学」で来ればいいのではないですかと、出入国在留管理局は言ってきます。

そのため、なぜ〝今〟日本に来る必要があるのか、さらに日本に来たら学校はどうするのか、今後の教育計画を説明することが必要です。

また、家族滞在の許可が難しくなるケースとしては、親と子が一緒に日本に来るのではなく、親だけ最初に日本に来て、数年後に子供を日本に呼ぶ場合です。

なぜ、数年後に子供を日本に呼ぶのが難しいのでしょうか。出入国在留管理局は、次のように考えます。なぜ、今まで子供は母国で別の人が養育していたのか、なぜ今から日本で養育するようになったのか、です。

したがって、どのように事情が変わって日本に子供を呼ぶ必要があるのかを合理的に説明する必要があります。そして、絶対に就労目的ではないことを説明する必要があります。そうでなければ家族滞在は許可されません。

さらに、子供の家族滞在の場合に注意しなければならないのは、大学や専門学校に入学するときに、「家族滞在」から「留学」へ在留資格を変更した場合、卒業後に就職が決まらず、就労ビザに変更できなかったとしても、「家族滞在ビザ」にもどることはできないことです。

## 3　経営管理ビザに関するよくある質問

ここで、経営管理ビザに関するよくある質問をまとめておきます。

**Q　新設会社と既存会社では、経営管理ビザを取る上で難易度の違いはありますか。**

A　経営管理ビザは、主に外国人経営者向けにつくられた在留資格ですが、一部で犯罪の温床となっているビザでもあります。経営管理ビザは、外国人経営者向けという特性上、本人の学歴が不要で、ある意味お金を持ってさえいれば要件を満たすことができ、許可になる場合もあります。

つまり、実態のないペーパーカンパニーをつくって、実際には会社経営をするつもりがないのに、経営管理ビザを取得して日本に不正入国するという違法行為が社会問題になっています。

出入国在留管理局では、違法行為を防止するために、実態のないペーパーカンパニーには経営管理ビザを許可しませんし、会社の実態があるかどうかを厳しく審査しています。

新しく会社をつくって経営者として経営管理ビザを取得する場合と、既存の会社に経営陣として参画する場合とで、経営管理ビザの取得において難易度の違いはあるのでしょうか。

新設会社においては、まだ何も実績がありませんので、事業計画書で会社の実態を証明していくことになります。

既存の会社に経営陣として参画する場合は、決算書や取引先との契約書があるはずですから、それらを提出すれば実態があることが明確に証明することが可能です。

既存の会社でも事業計画書が必要なケースは多々ありますが、新設会社で経営管理ビザを取るほうが申請書作成の難易度は高いといえます。

**Q　資本金は必ず５００万円必要ですか。**

A　経営管理ビザを取得するためには、最低500万円以上の出資が必要です。以前の投資経営ビザから、経営管理ビザに改正されるタイミングでこの要件は表面上なくなりましたが、現実的には現在も500万円以上の出資が必要となっています。

そして、この500万円は、見せ金ではダメで、出所まで問われます。つまり、この500万円は、どのようにして集めたのかという証明まで出入国在留管理局は求めてきます。

自分で貯めたのか、親からもらったのか、親族から借りたのか、なんでもよいのですが、出所の証明をしていく必要があります。

「500万円はありません。300万円で経営管理ビザは取れますか」という質問をいただくことがありますが、理論上は可能です。しかし、現実的ではありません。

300万円の出資で経営管理ビザを取るためには、2名以上の正社員を雇用することが条件となります。起業当初に2名も正社員を雇用することは、実際のビジネス上は相当に難しく、それなら500万円を出資して経営者1人でビジネスを立ち上げることのほうが現実的です。

また、この500万円は、外国人1人当たりにつき500万円必要ということであって、300万円と200万円ずつの出資では条件を満たしません。

**Q　許認可が必要なビジネスとその取得のタイミングを教えてください。**

A　経営管理ビザを取得するためには、ビジネスの種類によっては事前に許認可を取得しておく必要があります。ビザを取得してから許認可を取得するのではなく、許認可を取得してから経営管理ビザの申請をするのです。

日本には、許認可の必要なビジネスが1万以上あるといわれていますが、外国人が実際に行う許認可ビジネスで多いのは、中古品売買、中古自動車貿易、免税店、飲食店、旅行業、外国人向け不動産業、人材紹介派遣業です。

これらのビジネス以外にも許認可が必要なビジネスはありますので、これから立ち上げるビジネスが許認可の必要なものかどうかは、事前に調べておく必要があります。

許認可が必要なビジ ネスをやる予定の場合には、許認可を取得しないと経営管理ビザが取得できないからです。

**Q　個人事業主でも経営管理ビザは取れますか。**

A　基本的に、個人事業主でも経営管理ビザの取得は可能です。しかしながら、会社設立して経営管理ビザを取得するのと比べて、ハードルは上がります。

個人事業主で経営管理ビザを取れるのは、基本的に「在留資格変更許可申請」に限られます。つまり、留学→経営管理、就労ビザ→経営管理といった変更のみです。海外居住の外国人が認定で招へいされるというスキームは使えません。

個人事業主でも、経営管理ビザを取得するための要件は同じです。①500万円以上の出資、

②事務所の確保が必要です。

ここで問題となるのは、５００万円以上の出資の証明です。個人事業主は、税務署に「個人事業主の開業届」を提出するだけでなれてしまうので、会社設立のように資本金という概念がありません。会社の場合は、資本金として５００万円を組み入れればそれで証明にできますが、個人事業主の場合は個人の通帳に５００万円を入れても意味がありません。

したがって、個人事業主として経営管理ビザを取るためには、実際に５００万円を使い切って日本国に投下しなければなりません。

具体的には、必要な事務所・店舗、備品、商品　仕入など　で５００万円以上を使い切り、その証明として領収書等を出入国在留管理局に提出するのです。

会社の場合は、スタート時点で５００万円を使い切る必要はなく、会社口座に残しておいても問題ないのですが、個人事業主の場合は、資本金の概念がないため、その証明として領収書などが必要になり、その分、ビザ取得のためのハードルが上がるわけです。

飲食店のような店舗系ビジネスであれば、開業資金で５００万円というお金はすぐになくなるでしょうから、個人事業主でビザ取得も十分に考えられます。

しかし、ＩＴ系や翻訳業では、初　期費用で５００万円使う必要があまりなく、こういった初期費用が少なくて済むビジネスにおい　ては、原則どおり会社設立をして経営管理ビザを取得する方法が合っていると思います。

ビザ取得のためには、個人事業主は５００万円の証明をするために使い切らなければならないというデメリットがありますが、その他のデメリットとしては社会的信用が得られないことがあります。

しかし、個人事業主は、コスト面でメリットもあります。個人事業主のメリットは、会社設立費用がかからないということです。

会社設立費用は、株式会社であれば税金だけで20万円以上、合同会社であれば６万円以上かかります。さらに、行政書士に支払う報酬もコストになります。

なお、個人事業主で経営管理ビザを取る場合も、事務所の設置は必須です。自宅とは別の場所に事務所を契約し、そこで営業を行う必要があります。

**Q　法改正によって「投資経営ビザ」から「経営管理ビザ」へ名称が変更になりましたが、内容も変更になっていますか。**

A　以前の「投資経営ビザ」は、基本的に日本に投資をする経営者に対して与えられていたビザです。投資額は、基本的には５００万円以上必要でした。

経営管理ビザは、「投資」というよりも、より「会社を経営すること」に要件を合わせた形で変更されています。

もっとも、表面上は５００万円以上の投資は必要とされないようになりましたが、審査上は現実的に必要となっています。

また、旧来の「投資経営ビザ」は、外資系企業の経営者にのみ与えられていたビザで、日系企業の役員となっても取得することができませんでした。

しかし、名称変更に伴い、日系企業の役員就任に対しても「経営管理ビザ」は与えられるようになり、日系企業の役員に就任する外国人は「経営管理ビザ」を取得するのが通常です。つまり、既存の会社に役員として参画する場合も「経営管理ビザ」の対象となります。
※外国資本の要件緩和……２０１５年４月の改正によって、企業の経営・管理活動に従事する外国人受入促進のため、外資系に限らず、日系企業における経営・管理活動が追加されました。日系企業にいる外国人経営者は、今まで「技術・人文知識・国際業務」の在留資格しか申請できませんでしたが、今回の改正で、資本の全部が日本資本である日本企業で外国人が経営・管理活動を行う場合、「経営・管理」ビザを申請することができるようになりました。

**Q　４か月の経営管理ビザは取れるのか。**

A　２０１５年4月に、新制度として4か月の経営管理ビザが新設されました。これにより、「海外在住の外国人が1人でも日本で会社設立し経営管理ビザが取得できるようになった」と思われていましたが、現状は厳しい結果となっていると言わざるを得ません。
当初、４か月の経営管理ビザが新設された目的は、より日本に投資を呼び込むために協力者なしで外国人が1人で日本で起業できるようにするためだったのですが、現実の実務においては、ほとんどのケースでいまだに協力者なしでは手続を進めることはできないのです。

4か月の経営管理ビザは、簡単に説明すると、会社の設立準備を進めているということを証明すれば、とりあえず4か月の経営管理ビザをあげるからその間に来日して会社設立登記と事務所の契約をして、4か月の期限が来る前に1年の更新をすればよいという趣旨です。

当事務所でも、法改正の直後に、外国人のお客様に対し、4か月の経営管理ビザのスキームでご案内を差し上げ、サポートしてきましたが、現実の実務においては、会社の設立準備を進めているということを証明しても、出入国在留管理局から「会社登記はしてないのか」「事務所の確保は？」という突っ込みが入ります。

そもそも4か月の経営管理ビザを取らなければ、銀行口座を開設できません。銀行口座がないと資本金の振込みができないので、会社設立登記ができません。

また、事務所の契約も、通常は印鑑証明書が必要であり、印鑑証明書を取得するためには、やはり4か月の経営管理ビザがなければ取得できません。

したがって、法の趣旨と入管の対応に差がありますので、現時点で当事務所で従来どおり日本における協力者をご用意いただき、最初から1年の経営管理ビザ取得を目指す方針でお客様にはご案内しています。

日本での協力者は、日本人でも外国人でもかまいません。本人が経営管理ビザを取得後に来日した段階で役員を降りてもらいますので、一時期だけのものです。

日本で会社設立をするには、2012年7月の入管法および外国人登録法廃止前においては、短期滞在（90日）で日本に来日し、外国人登録を行うことで、日本で口座を開設することができるようになり、会社設立登記をし、「投資・経営」の申請が可能でした。

しかし、2012年7月9日以降外国人登録証明書から在留カードに変更になったことにより、中長期在留者でなければ、在留カード、住民票が発行されないため、資本金を振り込む銀行口座開設ができないという不具合が生じ、会社設立は困難となりました。

これが、2015年4月の改正によって、法人設立前でも株式会社を設立する準備を行う意思があることや、株式会社などの設立がほぼ確実に見込まれることが提出書類から確認できた外国人については、設立前でも「経営・管理」の在留資格で入国を認めることになったのです。

ただし、法人が設立されていない不安定な状態で長期の滞在を認めることは適当でないことから、中長期在留者となり、住民票が作成される最短の月単位の期間である「4月」の在留資格を決定することにしたのですが、実務上は、問題点が生じているのが現状です。
※問題点……4か月の経営管理ビザ申請の提出資料に、「事務所用施設の存在を明らかにする資料」とありますが、具体的には、不動産登記簿謄本・賃貸借契約書などのことを指します。
しかし、経営管理ビザ申請時は、在留カードも住民票も発行されていませんので、賃貸借契約はかなり難航するものと考えられます。

さらに、4か月の経営管理ビザ申請においては、法律上は会社登記簿謄本は求められておりませんが、実務上は提出を求められることがあり、現実的には日本に住所がない場合には手続が進まない場合が多々あります。

したがって、筆者は、代表取締役の日本招へいの場合、4か月の経営管理ビザ取得を推奨せ、最初から1年の経営管理ビザ取得の方法をとることを推奨しています。

# 4 経営管理ビザが不許可になる原因

最後に、経営管理ビザの申請が不許可になる主な原因は、次のように①立証・説明が不十分な場合と、②許可要件を満たしていない場合との2つに集約できます。

## ① 立証・説明が不十分な場合

経営管理ビザ申請では、資本金の出所を各種資料とともに説明したり、事務所の実態があることを不動産契約書とともに写真と平面図をつけて説明したり、事業計画書を作成し、事業の安定性・継続性を証明する必要があります。

事業計画書では、売上予測、原価、人件費、経費と利益率なども細かく計画する必要があります。

これらの書類をしっかり作成し説明しないと不許可になるので十分注意してください。

出入国在留管理局のホームページには、経営管理ビザ申請に必要な書類が書かれています。しかし、それらの書類を出すだけでは、特に経営管理ビザについては許可にはなりません。

**② 許可要件を満たしていない場合**

経営管理ビザは、申請時点でそもそも許可要件を満たしていなければ許可にはなりません。基本的なことですが、要件を満たしていないと、いくら立派な事業計画書を作成しても意味はありません。

許可要件を満たしていないために経営管理ビザが不許可となるよくあるパターンを次に列挙しておきます。

- 事務所が自宅兼事務所である
- 事務所の不動産賃貸借契約書の中の使用目的が「居宅用」である
- バーチャルオフィス、シェアオフィスで明確に区画されていない
- 事業計画書のビジネスモデルを勘案すると事務所スペースが狭すぎる
- 事業計画書の内容がおおざっぱすぎる
- 事業計画の実現可能性が低い
- 資本金の形成過程、出所が不明
- 経営管理ビザを同一会社で2名申請している合理的理由がない

・飲食店、整体院、美容室の経営で経営者が接客する（接客要員が確保されてない）
・留学生が出席率、成績が著しく悪い状態で申請している
・留学生、家族滞在からの変更で資格外活動28時間をオーバーしている
・配偶者ビザで離婚してすぐ経営管理ビザ申請しているが本当に会社経営するか疑わしい
・刑事事件で有罪判決を受けたことがある

## 5 経営管理ビザが不許可になってしまったら

出入国在留管理局への経営管理ビザ申請は、「自分で」申請した場合、不許可になることがよくあります。

事実、ご自身で申請した方が、不許可になって、当事務所へ相談にこられるというケースも頻繁にあります。

そこで、不許可になってしまった場合の対応をご説明いたします。

### 不許可の理由を調査する

不許可通知書が届いた場合、その通知書には理由がほとんど書いてないため、本当の不許可理由がはっきりとわかりません。したがって、申請先の出入国在留管理局へ出向き、個室で審査官と対

峙することになります。

個室に入って、不許可の理由を聞くのですが、不許可に対するクレームをつけたり、本当はこうだったと説明を繰り返したり、法的根拠に基づかない話を延々としても意味がありません。既に不許可という決定がされている以上、その場で不許可が許可にくつがえされるということは１００％ありません。

申請のどの点がまずかったのかなど、冷静に情報を取っていく必要があります。ただし、「どうすれば申請が通るかについて丁寧に解説する義務」は、出入国在留管理局にはないと考えていただいたほうがよろしいかと思います。

## 前回と同じ内容で再申請をしても無駄

不許可の場合は、前回と同じ内容で再申請しても手間と時間の無駄になります。なぜなら、状況が変わらなかったり、足りない説明や書類があったりしたまま再申請しても、同じ結果になるからです。

また、前回の申請内容を適当に変えて申請すると、前回の申請と今回の申請の矛盾点を突かれます。そのような対応をすると、今後経営管理ビザが許可になる見込みが０になる可能性もあります。

不許可の原因をしっかり分析し、再申請の準備をすることが肝要です。

**経営管理ビザの再申請**

経営管理ビザ申請を行って不許可になった場合に、もちろん再申請はできますが、最初のときよりも審査が厳しくなります。

なぜなら、前回の申請の不許可実績はすべて出入国在留管理局に記録されているからです。不許可の理由を確認し、その原因を解消すると、最初に申請した内容との矛盾が発生することが多く、それを解消するのが難しいことになります。

したがって、安易に自分で再申請をしたりせず、当事務所のような専門家に相談し、再申請をすることをおすすめします。

## 6　お役立ち情報

会社を経営し続けていくためには、日本の税金や労働社会保険の手続が必要となってきます。実際に手続をされるのは、税務のことに関しては税理士さん、労務のことに関しては社会保険労務士さんにお願いすることが多いでしょう。

しかし、何も知らない状態で経営をし続けていくより、手続の詳細は知らなくても知識として知っているという状態にしておくことは、損はないものと思います。

図表36では、会社（株式会社）を経営していくことで発生する日本の税金と労働社会保険につい

て基本的なところを説明します。今後の知識の参考としてご活用ください。

**【図表36　税金と社会保険の概要】**

| 税金等の種類 | 払う時期 | 税額 | 特徴 |
|---|---|---|---|
| ① 法人税<br>地方法人税<br>法人事業税<br>法人住民税 | 原則決算終了後<br>2か月以内 | 「会社の利益」<br>×約20%~30% | 会社の利益に対して<br>かかる税金 |
| ② 消費税 | 決算終了後<br>2か月以内 | 「預かり消費税」<br>から「支払い消費税」<br>を引いた金額 | 利益が出ていなくても<br>払う場合がある |
| ③ 源泉所得税 | 毎月10日まで<br>または半年ごと | 役員報酬・給料から<br>預かった金額 | 納付が1日でも遅れる<br>と罰金がかかる |
| ④ 住民税<br>（特別徴収） | 毎月10日まで<br>または半年ごと | 給与から<br>天引きした金額 | 従業員が少ない会社は<br>普通徴収でも可 |

| | | | | |
|---|---|---|---|---|
| ⑤ | 印紙税 | 契約するとき<br>領収するとき等 | ２００円～数万円<br>（契約金額で変動） | 契約書作成時や領収書<br>発行時に貼る印紙 |
| ⑥ | 登録免許税 | 不動産取得の<br>登記の際等 | 「固定資産税評価額」<br>×２・０％（１・５％） | 不動産の名義変更時<br>（登記時）に支払う |
| ⑦ | 不動産取得税 | 不動産取得から<br>数か月後 | 「固定資産税評価額」<br>×４％（３％） | 後日、役所より<br>納付書が送られてくる |
| ⑧ | 固定資産税 | 年４回分割 | 「固定資産税評価額」<br>×１・４％（１・７％） | 固定資産を保有者が<br>毎年払う必要がある |
| ⑨ | 事業所税 | 決算終了後<br>２か月以内 | 事業所床面積 ×６００円<br>給与総額 ×０・２５％ | 大規模事業所<br>のみにかかる税金 |
| ⑩ | 自動車税 | ５月末まで | 数万円<br>（排気量による） | 自動車保有にかかる税金 |

| | | | |
|---|---|---|---|
| ⑪ 社会保険料 | 毎月末 | 給与支給額×約14％（会社負担分） | 法人は社会保険に強制加入となる |

なお、社会保険とは、「健康保険」「介護保険」「厚生年金保険」「雇用保険」「労災保険」の５種類があり、その中でも、雇用保険・労災保険はまとめて「労働保険」と呼ばれます。対象者である本人から、「健康保険」「厚生年金保険」「介護保険」「雇用保険」にかかる社会保険料を毎月の給料から天引きして、会社側が納める形になります。

「健康保険」「介護保険」「厚生年金保険」の保険料については、会社側が計算する必要はありません。日本年金機構などの保険者が計算をして納付額が通知されます。ただし、計算根拠については手続が必要で、毎年「算定基礎届」という届けを保険者に提出します。算定基礎届には、４～６月の給与額（厳密には「報酬月額」と呼ばれる額）を記載し、７月10日までに提出します。

労働保険の中で「労災保険」は、全額会社負担となります。「雇用保険」は、業種ごとに異なります。従業員負担分は建設業・農林水産・清酒製造業が１０００分の４、それ以外の事業は１０００分の３です。事業主（会社）負担分は、建設業が１０００分の８、農林水産・清酒製造業が１０００分の７、それ以外の事業は１０００分の６です。保険料率は、毎年必ず関係役所に確認をするようにしましょう。

## 著者略歴

### 小島 健太郎（こじま けんたろう）

さむらい行政書士法人　代表社員。

福島県会津市出身。1979年生まれ。桜美林大学文学部英語英米文学科卒業。行政書士・出入国在留管理局申請取次行政書士。東京都行政書士会所属。さむらい行政書士法人代表社員。専門分野：在留資格・VISA・帰化。

アジア諸国・欧米など各国出身の外国人の法的手続を支援している。外国人の会社設立は、日本人が会社設立するのとは異なり手続が複雑な上、出入国在留管理局へ経営管理ビザを申請しなければならない。会社設立と入管の制度は別の手続になるので、会社設立できたからといって必ずしも経営管理ビザが取得できるというわけではない。経営管理ビザを取得できなければ、外国人は日本で経営活動を行うことができないので、入管申請で失敗をすることは許されない。「許可」というお客様の満足のために、日々専門知識を駆使し結果を出すことにこだわっている。日本のグローバル化を支援するのがミッション。お客様に言われてうれしかったことは、「小島さんのおかげで許可が取れました！」。年間無料相談実績1,000名以上。

外国人の在留資格・VISA・帰化、対日投資手続を専門に扱う。専門性の高いコンサルティングにより高い信頼を得ている。

さむらい行政書士法人HP　http://www.samurai-law.com

外国人の会社設立に関しては、情報提供と代行サービス紹介サイト「会社設立ＪＡＰＡＮ」（http://www.samurai-law.com/kaisha/）を運営。



**改訂版　必ず取れる経営管理ビザ！　外国人会社設立ガイド**

2018年1月10日 初版発行　　2018年4月27日 第2刷発行
2019年12月18日 改訂版発行　2025年4月23日 改訂版第4刷発行

著　者　小島　健太郎　©Kentaro Kojima

発行人　森　　忠順

発行所　株式会社 セルバ出版
〒113-0034
東京都文京区湯島1丁目12番6号 高関ビル5B
☎ 03（5812）1178　　FAX 03（5812）1188
https://seluba.co.jp/

発　売　株式会社 創英社／三省堂書店
〒101-0051
東京都千代田区神田神保町1丁目1番地
☎ 03（3291）2295　　FAX 03（3292）7687

印刷・製本　株式会社 丸井工文社





Printed in JAPAN
ISBN978-4-86367-543-8